CHINESE NAMES, SU
LOCATIONS & ADD

中国大陆地址集

SHANXI PROVINCE - PART 1

山西省

ZIYUE TANG

汤子玥

ACKNOWLEDGEMENT

I am deeply indebted to my friends and family members to support me throughout my life. Without their invaluable love and guidance, this work wouldn't have been possible.

Thank you

Ziyue Tang

汤子玥

PREFACE

The book introduces foreigner students to the Chinese names along with locations and addresses from the **Shanxi** Province of China (中国山西省). The book contains 150 entries (names, addresses) explained with simplified Chinese characters, pinyin and English.

Chinese names follow the standard convention where the given name is written after the surname. For example, in 王威 (Wang Wei), Wang is the surname, and Wei is the given name. Further, the surnames are generally made of one (王) or two characters (司马). Similarly, the given names are also made of either one or two characters. For example, 司马威 (Sima Wei) is a three character Chinese name suitable for men. 司马威威 is a four character Chinese name.

Chinese addresses are comprised of different administrative units that start with the largest geographic entity (country) and continue to the smallest entity (county, building names, room number). For example, a typical address in Nanjing city (capital of Jiangsu province) would look like 江苏省南京市清华路 28 栋 520 室 (Jiāngsū shěng nánjīng shì qīnghuá lù 28 dòng 520 shì; Room 520, Building 28, Qinghua Road, Nanjing City, Jiangsu Province).

CONTENTS

CHAPTER 1: NAME, SURNAME & ADDRESSES (1-30)

1。姓名：皮铭轼

住址（医院）：山西省太原市杏花岭区盛仲路 615 号星辉医院（邮政编码：977204）。联系电话：80594880。电子邮箱：tpzlw@qxjfsohk.health.cn

Zhù zhǐ: Pí Míng Shì Shānxī Shěng Tàiyuán Shì Xìng Huā Lǐng Qū Shèng Zhòng Lù 615 Hào Xīng Huī Yī Yuàn（Yóuzhèng Biānmǎ：977204). Liánxì Diànhuà：80594880. Diànzǐ Yóuxiāng：tpzlw@qxjfsohk.health.cn

Ming Shi Pi, Xing Hui Hospital, 615 Sheng Zhong Road, Xinghualing District, Taiyuan, Shanxi. Postal Code: 977204. Phone Number：80594880. E-mail：tpzlw@qxjfsohk.health.cn

2。姓名：武甫乐

住址（火车站）：山西省晋城市高平市进铁路 140 号晋城站（邮政编码：314598）。联系电话：56084147。电子邮箱：ltndo@nebsjfpr.chr.cn

Zhù zhǐ: Wǔ Fǔ Lè Shānxī Shěng Jìnchéng Shì Gāopíng Shì Jìn Fū Lù 140 Hào Jncéng Zhàn（Yóuzhèng Biānmǎ：314598). Liánxì Diànhuà：56084147. Diànzǐ Yóuxiāng：ltndo@nebsjfpr.chr.cn

Fu Le Wu, Jincheng Railway Station, 140 Jin Fu Road, Gaoping City, Jincheng, Shanxi. Postal Code: 314598. Phone Number：56084147. E-mail：ltndo@nebsjfpr.chr.cn

3。姓名：白大珏

住址（公园）：山西省朔州市右玉县晖强路 560 号汉波公园（邮政编码：118351）。联系电话：11933093。电子邮箱：vjzgd@hjeuvwyn.parks.cn

Zhù zhǐ: Bái Dài Jué Shānxī Shěng Shuò Zhōu Shì Yòu Yù Xiàn Huī Qiǎng Lù 560 Hào Hàn Bō Gōng Yuán（Yóuzhèng Biānmǎ：118351). Liánxì Diànhuà：11933093. Diànzǐ Yóuxiāng：vjzgd@hjeuvwyn.parks.cn

Dai Jue Bai, Han Bo Park, 560 Hui Qiang Road, Youyu County, Shuozhou, Shanxi. Postal Code: 118351. Phone Number：11933093. E-mail：vjzgd@hjeuvwyn.parks.cn

4。姓名: 闻人智德

住址（机场）：山西省运城市临猗县敬易路 627 号运城翰红国际机场（邮政编码：529501）。联系电话：16480832。电子邮箱：exanr@xteohsvd.airports.cn

Zhù zhǐ: Wénrén Zhì Dé Shānxī Shěng Yùn Chéng Shì Lín Yī Xiàn Jìng Yì Lù 627 Hào Yùn Céng Hàn Hóng Guó Jì Jī Chǎng（Yóuzhèng Biānmǎ：529501). Liánxì Diànhuà：16480832. Diànzǐ Yóuxiāng：exanr@xteohsvd.airports.cn

Zhi De Wenren, Yuncheng Han Hong International Airport, 627 Jing Yi Road, Linyi County, Yuncheng, Shanxi. Postal Code: 529501. Phone Number：16480832. E-mail：exanr@xteohsvd.airports.cn

5。姓名: 席启风

住址（寺庙）：山西省运城市永济市食陆路 712 号亚守寺（邮政编码：904467）。联系电话：17126673。电子邮箱：dujxi@cqaoxrdj.god.cn

Zhù zhǐ: Xí Qǐ Fēng Shānxī Shěng Yùn Chéng Shì Yǒng Jì Shì Yì Lù Lù 712 Hào Yà Shǒu Sì（Yóuzhèng Biānmǎ：904467). Liánxì Diànhuà：17126673. Diànzǐ Yóuxiāng：dujxi@cqaoxrdj.god.cn

Qi Feng Xi, Ya Shou Temple, 712 Yi Lu Road, Yongji City, Yuncheng, Shanxi. Postal Code: 904467. Phone Number：17126673. E-mail：dujxi@cqaoxrdj.god.cn

6。姓名: 潘智王

住址（公园）：山西省长治市潞州区恩翼路 810 号冠山公园（邮政编码：358925）。联系电话：62551751。电子邮箱：pfhnq@fvujhnez.parks.cn

Zhù zhǐ: Pān Zhì Wàng Shānxī Shěng Chángzhì Shì Lù Zhōu Qū Ēn Yì Lù 810 Hào Guān Shān Gōng Yuán（Yóuzhèng Biānmǎ：358925). Liánxì Diànhuà：62551751. Diànzǐ Yóuxiāng：pfhnq@fvujhnez.parks.cn

Zhi Wang Pan, Guan Shan Park, 810 En Yi Road, Luzhou District, Changzhi, Shanxi. Postal Code: 358925. Phone Number：62551751. E-mail: pfhnq@fvujhnez.parks.cn

7。姓名: 祁晖中

住址（湖泊）：山西省大同市阳高县德科路 284 号桥独湖（邮政编码：346656）。联系电话：95419743。电子邮箱：qiexf@dqiplech.lakes.cn

Zhù zhǐ: Qí Huī Zhòng Shānxī Shěng Dàtóng Shì Yáng gāo xiàn Dé Kē Lù 284 Hào Qiáo Dú Hú（Yóuzhèng Biānmǎ：346656). Liánxì Diànhuà：95419743. Diànzǐ Yóuxiāng：qiexf@dqiplech.lakes.cn

Hui Zhong Qi, Qiao Du Lake, 284 De Ke Road, Yanggao County, Datong, Shanxi. Postal Code: 346656. Phone Number：95419743. E-mail: qiexf@dqiplech.lakes.cn

8。姓名: 夔庆茂

住址（大学）：山西省吕梁市临县独铁大学冠汉路 887 号（邮政编码：203241）。联系电话：54968873。电子邮箱：ujgom@ecpjfiln.edu.cn

Zhù zhǐ: Kuí Qìng Mào Shānxī Shěng Lǚliáng Shì Lín Xiàn Dú Tiě DàxuéGuàn Hàn Lù 887 Hào（Yóuzhèng Biānmǎ：203241). Liánxì Diànhuà：54968873. Diànzǐ Yóuxiāng：ujgom@ecpjfiln.edu.cn

Qing Mao Kui, Du Tie University, 887 Guan Han Road, Lin County, Luliang, Shanxi. Postal Code: 203241. Phone Number：54968873. E-mail: ujgom@ecpjfiln.edu.cn

9。姓名：陈澜际

住址（博物院）：山西省运城市永济市咚珂路 998 号运城博物馆（邮政编码：260796）。联系电话：15817227。电子邮箱：gxknu@bmgquarv.museums.cn

Zhù zhǐ: Chén Lán Jì Shānxī Shěng Yùn Chéng Shì Yǒng Jì Shì Dōng Kē Lù 998 Hào Yùn Céng Bó Wù Guǎn（Yóuzhèng Biānmǎ：260796）. Liánxì Diànhuà：15817227. Diànzǐ Yóuxiāng：gxknu@bmgquarv.museums.cn

Lan Ji Chen, Yuncheng Museum, 998 Dong Ke Road, Yongji City, Yuncheng, Shanxi. Postal Code: 260796. Phone Number：15817227. E-mail：gxknu@bmgquarv.museums.cn

10。姓名：童白风

住址（公共汽车站）：山西省朔州市应县陶冕路 783 号独人站（邮政编码：796915）。联系电话：43302053。电子邮箱：qauhm@lucmzpky.transport.cn

Zhù zhǐ: Tóng Bái Fēng Shānxī Shěng Shuò Zhōu Shì Yìng Xiàn Táo Miǎn Lù 783 Hào Dú Rén Zhàn（Yóuzhèng Biānmǎ：796915）. Liánxì Diànhuà：43302053. Diànzǐ Yóuxiāng：qauhm@lucmzpky.transport.cn

Bai Feng Tong, Du Ren Bus Station, 783 Tao Mian Road, Ying County, Shuozhou, Shanxi. Postal Code: 796915. Phone Number：43302053. E-mail：qauhm@lucmzpky.transport.cn

11。姓名：郗寰豪

住址（机场）：山西省太原市古交市兵敬路 280 号太原金队国际机场（邮政编码：170654）。联系电话：94698186。电子邮箱：lfcrd@ibzlysjd.airports.cn

Zhù zhǐ: Xī Huán Háo Shānxī Shěng Tàiyuán Shì Gǔ Jiāo Shì Bīng Jìng Lù 280 Hào Tàiyuán Jīn Duì Guó Jì Jī Chǎng（Yóuzhèng Biānmǎ：170654）. Liánxì Diànhuà：94698186. Diànzǐ Yóuxiāng：lfcrd@ibzlysjd.airports.cn

Huan Hao Xi, Taiyuan Jin Dui International Airport, 280 Bing Jing Road, Gujiao City, Taiyuan, Shanxi. Postal Code: 170654. Phone Number：94698186. E-mail：lfcrd@ibzlysjd.airports.cn

12。姓名: 滑轶懂

住址（酒店）：山西省太原市小店区际鹤路 574 号豹陶酒店（邮政编码：938960）。联系电话：70958928。电子邮箱：epjzw@zwtqvarb.biz.cn

Zhù zhǐ: Huá Yì Dǒng Shānxī Shěng Tàiyuán Shì Xiǎo Diàn Qū Jì Hè Lù 574 Hào Bào Táo Jiǔ Diàn（Yóuzhèng Biānmǎ：938960）. Liánxì Diànhuà：70958928. Diànzǐ Yóuxiāng：epjzw@zwtqvarb.biz.cn

Yi Dong Hua, Bao Tao Hotel, 574 Ji He Road, Shop Area, Taiyuan, Shanxi. Postal Code: 938960. Phone Number：70958928. E-mail：epjzw@zwtqvarb.biz.cn

13。姓名: 乌兆翰

住址（医院）：山西省晋中市左权县茂院路 171 号不强医院（邮政编码：790022）。联系电话：82415845。电子邮箱：veqob@vjzkeqiy.health.cn

Zhù zhǐ: Wū Zhào Hàn Shānxī Shěng Jìn Zhōng Shì Zuǒquán Xiàn Mào Yuàn Lù 171 Hào Bù Qiáng Yī Yuàn（Yóuzhèng Biānmǎ：790022）. Liánxì Diànhuà：82415845. Diànzǐ Yóuxiāng：veqob@vjzkeqiy.health.cn

Zhao Han Wu, Bu Qiang Hospital, 171 Mao Yuan Road, Zuoquan County, Jinzhong, Shanxi. Postal Code: 790022. Phone Number：82415845. E-mail：veqob@vjzkeqiy.health.cn

14。姓名: 夏侯钦王

住址（博物院）：山西省太原市万柏林区大先路 921 号太原博物馆（邮政编码：357636）。联系电话：57662770。电子邮箱：nfxdg@esibcguq.museums.cn

Zhù zhǐ: Xiàhóu Qīn Wàng Shānxī Shěng Tàiyuán Shì Wàn Bólín Qū Dài Xiān Lù 921 Hào Tàiyuán Bó Wù Guǎn (Yóuzhèng Biānmǎ：357636). Liánxì Diànhuà：57662770. Diànzǐ Yóuxiāng：nfxdg@esibcguq.museums.cn

Qin Wang Xiahou, Taiyuan Museum, 921 Dai Xian Road, Wan Bolin District, Taiyuan, Shanxi. Postal Code: 357636. Phone Number：57662770. E-mail：nfxdg@esibcguq.museums.cn

15。姓名: 葛星焯

住址（大学）：山西省晋城市泽州县咚国大学坚翼路 698 号（邮政编码：846681）。联系电话：23673658。电子邮箱：qprks@xmvdzpyu.edu.cn

Zhù zhǐ: Gě Xīng Zhuō Shānxī Shěng Jìnchéng Shì Zé Zhōu Xiàn Dōng Guó DàxuéJiān Yì Lù 698 Hào (Yóuzhèng Biānmǎ：846681). Liánxì Diànhuà：23673658. Diànzǐ Yóuxiāng：qprks@xmvdzpyu.edu.cn

Xing Zhuo Ge, Dong Guo University, 698 Jian Yi Road, Zezhou County, Jincheng, Shanxi. Postal Code: 846681. Phone Number：23673658. E-mail：qprks@xmvdzpyu.edu.cn

16。姓名: 邰钦游

住址（广场）：山西省晋城市阳城县智近路 786 号金翰广场（邮政编码：382978）。联系电话：63572986。电子邮箱：qvflu@ljpectmb.squares.cn

Zhù zhǐ: Xì Qīn Yóu Shānxī Shěng Jìnchéng Shì Yáng Chéng Xiàn Zhì Jìn Lù 786 Hào Jīn Hàn Guǎng Chǎng (Yóuzhèng Biānmǎ：382978). Liánxì Diànhuà：63572986. Diànzǐ Yóuxiāng：qvflu@ljpectmb.squares.cn

Qin You Xi, Jin Han Square, 786 Zhi Jin Road, Yangcheng County, Jincheng, Shanxi. Postal Code: 382978. Phone Number：63572986. E-mail：qvflu@ljpectmb.squares.cn

17。姓名: 哈翰翰

住址（酒店）：山西省吕梁市兴县臻勇路 802 号帆沛酒店（邮政编码：987552）。联系电话：35327230。电子邮箱：qsafl@vjqnkwtx.biz.cn

Zhù zhǐ: Hǎ Hàn Hàn Shānxī Shěng Lǚliáng Shì Xìng Xiàn Zhēn Yǒng Lù 802 Hào Fān Pèi Jiǔ Diàn (Yóuzhèng Biānmǎ：987552). Liánxì Diànhuà：35327230. Diànzǐ Yóuxiāng：qsafl@vjqnkwtx.biz.cn

Han Han Ha, Fan Pei Hotel, 802 Zhen Yong Road, Xing County, Luliang, Shanxi. Postal Code: 987552. Phone Number：35327230. E-mail：qsafl@vjqnkwtx.biz.cn

18。姓名: 计愈豪

住址（公园）：山西省太原市万柏林区克员路 366 号炯澜公园（邮政编码：310351）。联系电话：75514921。电子邮箱：boxav@foaexzrg.parks.cn

Zhù zhǐ: Jì Yù Háo Shānxī Shěng Tàiyuán Shì Wàn Bólín Qū Kè Yún Lù 366 Hào Jiǒng Lán Gōng Yuán (Yóuzhèng Biānmǎ：310351). Liánxì Diànhuà：75514921. Diànzǐ Yóuxiāng：boxav@foaexzrg.parks.cn

Yu Hao Ji, Jiong Lan Park, 366 Ke Yun Road, Wan Bolin District, Taiyuan, Shanxi. Postal Code: 310351. Phone Number：75514921. E-mail：boxav@foaexzrg.parks.cn

19。姓名: 堵铁克

住址（寺庙）：山西省长治市潞州区淹守路 388 号禹坤寺（邮政编码：831385）。联系电话：83729900。电子邮箱：svmkp@ypjkoqaw.god.cn

Zhù zhǐ: Dǔ Fū Kè Shānxī Shěng Chángzhì Shì Lù Zhōu Qū Yān Shǒu Lù 388 Hào Yǔ Kūn Sì (Yóuzhèng Biānmǎ：831385). Liánxì Diànhuà：83729900. Diànzǐ Yóuxiāng：svmkp@ypjkoqaw.god.cn

Fu Ke Du, Yu Kun Temple, 388 Yan Shou Road, Luzhou District, Changzhi, Shanxi. Postal Code: 831385. Phone Number：83729900. E-mail：svmkp@ypjkoqaw.god.cn

20。姓名：龙祥可

住址（家庭）：山西省阳泉市郊区盛食路 289 号不福公寓 30 层 280 室（邮政编码：641665）。联系电话：19897580。电子邮箱：rnuqs@inwfbxuz.cn

Zhù zhǐ: Lóng Xiáng Kě Shānxī Shěng Yángquán Shì Jiāoqū Chéng Yì Lù 289 Hào Bù Fú Gōng Yù 30 Céng 280 Shì (Yóuzhèng Biānmǎ：641665). Liánxì Diànhuà：19897580. Diànzǐ Yóuxiāng：rnuqs@inwfbxuz.cn

Xiang Ke Long, Room# 280, Floor# 30, Bu Fu Apartment, 289 Cheng Yi Road, Jiao District, Yangquan, Shanxi. Postal Code: 641665. Phone Number：19897580. E-mail：rnuqs@inwfbxuz.cn

21。姓名：宋计圣

住址（公共汽车站）：山西省运城市万荣县科昌路 529 号懂员站（邮政编码：705974）。联系电话：17384809。电子邮箱：cvlim@xwvznbct.transport.cn

Zhù zhǐ: Sòng Jì Shèng Shānxī Shěng Yùn Chéng Shì Wàn Róngxiàn Kē Chāng Lù 529 Hào Dǒng Yuán Zhàn (Yóuzhèng Biānmǎ：705974). Liánxì Diànhuà：17384809. Diànzǐ Yóuxiāng：cvlim@xwvznbct.transport.cn

Ji Sheng Song, Dong Yuan Bus Station, 529 Ke Chang Road, Wanrong County, Yuncheng, Shanxi. Postal Code: 705974. Phone Number：17384809. E-mail：cvlim@xwvznbct.transport.cn

22。姓名：亢焯智

住址（公共汽车站）：山西省大同市阳高县舟磊路 396 号毅仓站（邮政编码：418969）。联系电话：73011867。电子邮箱：euxqg@yvodkufg.transport.cn

Zhù zhǐ: Kàng Chāo Zhì Shānxī Shěng Dàtóng Shì Yáng gāo xiàn Zhōu Lěi Lù 396 Hào Yì Cāng Zhàn (Yóuzhèng Biānmǎ：418969). Liánxì Diànhuà：73011867. Diànzǐ Yóuxiāng：euxqg@yvodkufg.transport.cn

Chao Zhi Kang, Yi Cang Bus Station, 396 Zhou Lei Road, Yanggao County, Datong, Shanxi. Postal Code: 418969. Phone Number：73011867. E-mail：euxqg@yvodkufg.transport.cn

23。姓名: 危钢山

住址（火车站）：山西省长治市沁源县翰宝路 969 号长治站（邮政编码：313226）。联系电话：89270452。电子邮箱：pskfm@xhfoujbn.chr.cn

Zhù zhǐ: Wēi Gāng Shān Shānxī Shěng Chángzhì Shì Qìn Yuán Xiàn Hàn Bǎo Lù 969 Hào Cángz Zhàn （Yóuzhèng Biānmǎ：313226). Liánxì Diànhuà：89270452. Diànzǐ Yóuxiāng： pskfm@xhfoujbn.chr.cn

Gang Shan Wei, Changzhi Railway Station, 969 Han Bao Road, Qinyuan County, Changzhi, Shanxi. Postal Code: 313226. Phone Number：89270452. E-mail：pskfm@xhfoujbn.chr.cn

24。姓名: 乐正化化

住址（湖泊）：山西省大同市浑源县腾焯路 335 号光山湖（邮政编码：907641）。联系电话：21074856。电子邮箱：qlfdj@vychzqjp.lakes.cn

Zhù zhǐ: Yuèzhèng Huā Huā Shānxī Shěng Dàtóng Shì Hún Yuán Xiàn Téng Zhuō Lù 335 Hào Guāng Shān Hú （Yóuzhèng Biānmǎ：907641). Liánxì Diànhuà：21074856. Diànzǐ Yóuxiāng： qlfdj@vychzqjp.lakes.cn

Hua Hua Yuezheng, Guang Shan Lake, 335 Teng Zhuo Road, Hunyuan County, Datong, Shanxi. Postal Code: 907641. Phone Number：21074856. E-mail：qlfdj@vychzqjp.lakes.cn

25。姓名: 缪大迅

住址（家庭）：山西省长治市平顺县智继路 634 号院发公寓 38 层 355 室（邮政编码：548407）。联系电话：61141818。电子邮箱：seylh@bqasxyrh.cn

Zhù zhǐ: Miào Dà Xùn Shānxī Shěng Chángzhì Shì Píngshùn Xiàn Zhì Jì Lù 634 Hào Yuàn Fā Gōng Yù 38 Céng 355 Shì (Yóuzhèng Biānmǎ：548407). Liánxì Diànhuà：61141818. Diànzǐ Yóuxiāng：seylh@bqasxyrh.cn

Da Xun Miao, Room# 355, Floor# 38, Yuan Fa Apartment, 634 Zhi Ji Road, Pingshun County, Changzhi, Shanxi. Postal Code: 548407. Phone Number：61141818. E-mail：seylh@bqasxyrh.cn

26。姓名：亓官大石

住址（机场）：山西省运城市万荣县葆仓路 624 号运城波兆国际机场（邮政编码：996390）。联系电话：45999913。电子邮箱：dfwcq@nfvjdpmz.airports.cn

Zhù zhǐ: Qíguān Dà Shí Shānxī Shěng Yùn Chéng Shì Wàn Róngxiàn Bǎo Cāng Lù 624 Hào Yùn Céng Bō Zhào Guó Jì Jī Chǎng (Yóuzhèng Biānmǎ：996390). Liánxì Diànhuà：45999913. Diànzǐ Yóuxiāng：dfwcq@nfvjdpmz.airports.cn

Da Shi Qiguan, Yuncheng Bo Zhao International Airport, 624 Bao Cang Road, Wanrong County, Yuncheng, Shanxi. Postal Code: 996390. Phone Number：45999913. E-mail：dfwcq@nfvjdpmz.airports.cn

27。姓名：郎强毅

住址（机场）：山西省晋中市平遥县陆钢路 692 号晋中隆轶国际机场（邮政编码：629482）。联系电话：48587483。电子邮箱：rxohy@djwkbiex.airports.cn

Zhù zhǐ: Láng Qiáng Yì Shānxī Shěng Jìn Zhōng Shì Píngyáo Xiàn Lù Gāng Lù 692 Hào Jn Zōng Lóng Yì Guó Jì Jī Chǎng (Yóuzhèng Biānmǎ：629482). Liánxì Diànhuà：48587483. Diànzǐ Yóuxiāng：rxohy@djwkbiex.airports.cn

Qiang Yi Lang, Jinzhong Long Yi International Airport, 692 Lu Gang Road, Pingyao County, Jinzhong, Shanxi. Postal Code: 629482. Phone Number：48587483. E-mail：rxohy@djwkbiex.airports.cn

28。姓名: 邢盛帆

住址（湖泊）：山西省长治市长子县振原路 695 号秀懂湖（邮政编码：290449）。联系电话：85936838。电子邮箱：oqhli@ycgfbiem.lakes.cn

Zhù zhǐ: Xíng Shèng Fān Shānxī Shěng Chángzhì Shì Zhǎngzǐ Xiàn Zhèn Yuán Lù 695 Hào Xiù Dǒng Hú (Yóuzhèng Biānmǎ：290449). Liánxì Diànhuà：85936838. Diànzǐ Yóuxiāng：oqhli@ycgfbiem.lakes.cn

Sheng Fan Xing, Xiu Dong Lake, 695 Zhen Yuan Road, Eldest Son County, Changzhi, Shanxi. Postal Code: 290449. Phone Number：85936838. E-mail：oqhli@ycgfbiem.lakes.cn

29。姓名: 南宫白葛

住址（医院）：山西省忻州市宁武县中斌路 302 号珂敬医院（邮政编码：856600）。联系电话：75709083。电子邮箱：grcoy@epjvdzgo.health.cn

Zhù zhǐ: Nángōng Bái Gé Shānxī Shěng Xīnzhōu Shì Níng Wǔ Xiàn Zhōng Bīn Lù 302 Hào Kē Jìng Yī Yuàn (Yóuzhèng Biānmǎ：856600). Liánxì Diànhuà：75709083. Diànzǐ Yóuxiāng：grcoy@epjvdzgo.health.cn

Bai Ge Nangong, Ke Jing Hospital, 302 Zhong Bin Road, Ningwu County, Xinzhou, Shanxi. Postal Code: 856600. Phone Number：75709083. E-mail：grcoy@epjvdzgo.health.cn

30。姓名: 邰圣智

住址（寺庙）：山西省忻州市河曲县化亭路 378 号发锤寺（邮政编码：376796）。联系电话：82197606。电子邮箱：hnecb@bozimwfg.god.cn

Zhù zhǐ: Tái Shèng Zhì Shānxī Shěng Xīnzhōu Shì Héqū Xiàn Huà Tíng Lù 378 Hào Fā Chuí Sì (Yóuzhèng Biānmǎ：376796). Liánxì Diànhuà：82197606. Diànzǐ Yóuxiāng：hnecb@bozimwfg.god.cn

Sheng Zhi Tai, Fa Chui Temple, 378 Hua Ting Road, Hequ County, Xinzhou, Shanxi. Postal Code: 376796. Phone Number：82197606. E-mail：hnecb@bozimwfg.god.cn

CHAPTER 2: NAME, SURNAME & ADDRESSES (31-60)

31。姓名: 辛晖谢

住址（医院）：山西省临汾市浮山县钢绅路 112 号宝德医院（邮政编码：787011）。联系电话：20118624。电子邮箱：zdwbx@oewvfgtx.health.cn

Zhù zhǐ: Xīn Huī Xiè Shānxī Shěng Línfén Shì Fúshān Xiàn Gāng Shēn Lù 112 Hào Bǎo Dé Yī Yuàn（Yóuzhèng Biānmǎ：787011). Liánxì Diànhuà：20118624. Diànzǐ Yóuxiāng：zdwbx@oewvfgtx.health.cn

Hui Xie Xin, Bao De Hospital, 112 Gang Shen Road, Fushan County, Linfen, Shanxi. Postal Code: 787011. Phone Number：20118624. E-mail：zdwbx@oewvfgtx.health.cn

32。姓名: 缑世伦

住址（寺庙）：山西省忻州市宁武县译咚路 521 号独稼寺（邮政编码：839813）。联系电话：17975137。电子邮箱：aguvo@idojprlf.god.cn

Zhù zhǐ: Gōu Shì Lún Shānxī Shěng Xīnzhōu Shì Níng Wǔ Xiàn Yì Dōng Lù 521 Hào Dú Jià Sì（Yóuzhèng Biānmǎ：839813). Liánxì Diànhuà：17975137. Diànzǐ Yóuxiāng：aguvo@idojprlf.god.cn

Shi Lun Gou, Du Jia Temple, 521 Yi Dong Road, Ningwu County, Xinzhou, Shanxi. Postal Code: 839813. Phone Number：17975137. E-mail：aguvo@idojprlf.god.cn

33。姓名: 云宝游

住址（火车站）：山西省临汾市大宁县俊隆路 760 号临汾站（邮政编码：251691）。联系电话：27150719。电子邮箱：itrkx@gwuohblr.chr.cn

Zhù zhǐ: Yún Bǎo Yóu Shānxī Shěng Línfén Shì Dà Níngxiàn Jùn Lóng Lù 760 Hào Línfén Zhàn（Yóuzhèng Biānmǎ：251691). Liánxì Diànhuà：27150719. Diànzǐ Yóuxiāng：itrkx@gwuohblr.chr.cn

Bao You Yun, Linfen Railway Station, 760 Jun Long Road, Daning County, Linfen, Shanxi. Postal Code: 251691. Phone Number：27150719. E-mail：itrkx@gwuohblr.chr.cn

34。姓名：闵自沛

住址（博物院）：山西省晋中市昔阳县光盛路 925 号晋中博物馆（邮政编码：631744）。联系电话：28178805。电子邮箱：uokim@wrfqktan.museums.cn

Zhù zhǐ: Mǐn Zì Bèi Shānxī Shěng Jìn Zhōng Shì Xī Yáng Xiàn Guāng Shèng Lù 925 Hào Jn Zōng Bó Wù Guǎn（Yóuzhèng Biānmǎ：631744). Liánxì Diànhuà：28178805. Diànzǐ Yóuxiāng：uokim@wrfqktan.museums.cn

Zi Bei Min, Jinzhong Museum, 925 Guang Sheng Road, Xiyang County, Jinzhong, Shanxi. Postal Code: 631744. Phone Number：28178805. E-mail：uokim@wrfqktan.museums.cn

35。姓名：仲孙秀人

住址（火车站）：山西省临汾市霍州市炯南路 242 号临汾站（邮政编码：121455）。联系电话：39502676。电子邮箱：njphe@otmqvusy.chr.cn

Zhù zhǐ: Zhòngsūn Xiù Rén Shānxī Shěng Línfén Shì Huò Zhōu Shì Jiǒng Nán Lù 242 Hào Línfén Zhàn（Yóuzhèng Biānmǎ：121455). Liánxì Diànhuà：39502676. Diànzǐ Yóuxiāng：njphe@otmqvusy.chr.cn

Xiu Ren Zhongsun, Linfen Railway Station, 242 Jiong Nan Road, Huozhou, Linfen, Shanxi. Postal Code: 121455. Phone Number：39502676. E-mail：njphe@otmqvusy.chr.cn

36。姓名：濮阳咚迅

住址（公司）：山西省临汾市古县圣顺路 466 号懂黎有限公司（邮政编码：517941）。联系电话：82601283。电子邮箱：shcyp@sbpdhnky.biz.cn

Zhù zhǐ: Púyáng Dōng Xùn Shānxī Shěng Línfén Shì Gǔ Xiàn Shèng Shùn Lù 466 Hào Dǒng Lí Yǒuxiàn Gōngsī (Yóuzhèng Biānmǎ：517941). Liánxì Diànhuà：82601283. Diànzǐ Yóuxiāng：shcyp@sbpdhnky.biz.cn

Dong Xun Puyang, Dong Li Corporation, 466 Sheng Shun Road, Guxian, Linfen, Shanxi. Postal Code: 517941. Phone Number：82601283. E-mail: shcyp@sbpdhnky.biz.cn

37。姓名: 法原敬

住址（博物院）：山西省晋中市榆社县咚翼路 393 号晋中博物馆（邮政编码：274160）。联系电话：77156906。电子邮箱：ziaes@vfduisan.museums.cn

Zhù zhǐ: Fǎ Yuán Jìng Shānxī Shěng Jìn Zhōng Shì Yú Shè Xiàn Dōng Yì Lù 393 Hào Jn Zōng Bó Wù Guǎn (Yóuzhèng Biānmǎ：274160). Liánxì Diànhuà：77156906. Diànzǐ Yóuxiāng：ziaes@vfduisan.museums.cn

Yuan Jing Fa, Jinzhong Museum, 393 Dong Yi Road, Yushe County, Jinzhong, Shanxi. Postal Code: 274160. Phone Number：77156906. E-mail: ziaes@vfduisan.museums.cn

38。姓名: 柯维铁

住址（医院）：山西省临汾市襄汾县奎译路 203 号振庆医院（邮政编码：865851）。联系电话：99191649。电子邮箱：zqbmo@ksioctda.health.cn

Zhù zhǐ: Kē Wéi Tiě Shānxī Shěng Línfén Shì Xiāng Fén Xiàn Kuí Yì Lù 203 Hào Zhèn Qìng Yī Yuàn (Yóuzhèng Biānmǎ：865851). Liánxì Diànhuà：99191649. Diànzǐ Yóuxiāng：zqbmo@ksioctda.health.cn

Wei Tie Ke, Zhen Qing Hospital, 203 Kui Yi Road, Xiangfen County, Linfen, Shanxi. Postal Code: 865851. Phone Number：99191649. E-mail: zqbmo@ksioctda.health.cn

39。姓名: 母锤豪

住址（湖泊）：山西省晋中市左权县继伦路 191 号强冠湖（邮政编码：386777）。联系电话：66342180。电子邮箱：gvihx@aykmlujz.lakes.cn

Zhù zhǐ: Mǔ Chuí Háo Shānxī Shěng Jìn Zhōng Shì Zuǒquán Xiàn Jì Lún Lù 191 Hào Qiáng Guān Hú (Yóuzhèng Biānmǎ：386777). Liánxì Diànhuà：66342180. Diànzǐ Yóuxiāng：gvihx@aykmlujz.lakes.cn

Chui Hao Mu, Qiang Guan Lake, 191 Ji Lun Road, Zuoquan County, Jinzhong, Shanxi. Postal Code: 386777. Phone Number：66342180. E-mail：gvihx@aykmlujz.lakes.cn

40。姓名：司寇骥庆

住址（博物院）：山西省长治市壶关县智跃路 980 号长治博物馆（邮政编码：230423）。联系电话：63951669。电子邮箱：yvctl@dqutcsiw.museums.cn

Zhù zhǐ: Sīkòu Jì Qìng Shānxī Shěng Chángzhì Shì Hú Guān Xiàn Zhì Yuè Lù 980 Hào Cángz Bó Wù Guǎn (Yóuzhèng Biānmǎ：230423). Liánxì Diànhuà：63951669. Diànzǐ Yóuxiāng：yvctl@dqutcsiw.museums.cn

Ji Qing Sikou, Changzhi Museum, 980 Zhi Yue Road, Huguan County, Changzhi, Shanxi. Postal Code: 230423. Phone Number：63951669. E-mail：yvctl@dqutcsiw.museums.cn

41。姓名：富启熔

住址（博物院）：山西省朔州市朔城区洵沛路 485 号朔州博物馆（邮政编码：668670）。联系电话：31434906。电子邮箱：psfnr@bsngedku.museums.cn

Zhù zhǐ: Fù Qǐ Róng Shānxī Shěng Shuò Zhōu Shì Shuò Chéngqū Xún Pèi Lù 485 Hào uò Zōu Bó Wù Guǎn (Yóuzhèng Biānmǎ：668670). Liánxì Diànhuà：31434906. Diànzǐ Yóuxiāng：psfnr@bsngedku.museums.cn

Qi Rong Fu, Shuozhou Museum, 485 Xun Pei Road, Shuocheng District, Shuozhou, Shanxi. Postal Code: 668670. Phone Number：31434906. E-mail：psfnr@bsngedku.museums.cn

42。姓名：咸德辙

住址（公共汽车站）：山西省晋中市平遥县珂员路 299 号不计站（邮政编码：545840）。联系电话：37987182。电子邮箱：lqfwd@auehmgkj.transport.cn

Zhù zhǐ: Xián Dé Zhé Shānxī Shěng Jìn Zhōng Shì Píngyáo Xiàn Kē Yuán Lù 299 Hào Bù Jì Zhàn (Yóuzhèng Biānmǎ：545840). Liánxì Diànhuà：37987182. Diànzǐ Yóuxiāng：lqfwd@auehmgkj.transport.cn

De Zhe Xian, Bu Ji Bus Station, 299 Ke Yuan Road, Pingyao County, Jinzhong, Shanxi. Postal Code: 545840. Phone Number：37987182. E-mail：lqfwd@auehmgkj.transport.cn

43。姓名：家铁恩

住址（机场）：山西省忻州市宁武县可坤路 670 号忻州腾冠国际机场（邮政编码：932720）。联系电话：69987041。电子邮箱：hcnwd@kzprjgxy.airports.cn

Zhù zhǐ: Jiā Fū Ēn Shānxī Shěng Xīnzhōu Shì Níng Wǔ Xiàn Kě Kūn Lù 670 Hào Xīnzōu Téng Guàn Guó Jì Jī Chǎng (Yóuzhèng Biānmǎ：932720). Liánxì Diànhuà：69987041. Diànzǐ Yóuxiāng：hcnwd@kzprjgxy.airports.cn

Fu En Jia, Xinzhou Teng Guan International Airport, 670 Ke Kun Road, Ningwu County, Xinzhou, Shanxi. Postal Code: 932720. Phone Number：69987041. E-mail：hcnwd@kzprjgxy.airports.cn

44。姓名：公孙可辙

住址（火车站）：山西省太原市小店区易员路 390 号太原站（邮政编码：227915）。联系电话：50743632。电子邮箱：tnaco@ryvlkaci.chr.cn

Zhù zhǐ: Gōngsūn Kě Zhé Shānxī Shěng Tàiyuán Shì Xiǎo Diàn Qū Yì Yún Lù 390 Hào Tàiyuán Zhàn (Yóuzhèng Biānmǎ：227915). Liánxì Diànhuà：50743632. Diànzǐ Yóuxiāng：tnaco@ryvlkaci.chr.cn

Ke Zhe Gongsun, Taiyuan Railway Station, 390 Yi Yun Road, Shop Area, Taiyuan, Shanxi. Postal Code: 227915. Phone Number：50743632. E-mail：tnaco@ryvlkaci.chr.cn

45。姓名: 山智轼

住址（公司）：山西省吕梁市文水县亭其路 752 号陆俊有限公司（邮政编码：489976）。联系电话：88747572。电子邮箱：ikxeb@aybprgwx.biz.cn

Zhù zhǐ: Shān Zhì Shì Shānxī Shěng Lǚliáng Shì Wén Shuǐ Xiàn Tíng Qí Lù 752 Hào Liù Jùn Yǒuxiàn Gōngsī (Yóuzhèng Biānmǎ：489976). Liánxì Diànhuà：88747572. Diànzǐ Yóuxiāng：ikxeb@aybprgwx.biz.cn

Zhi Shi Shan, Liu Jun Corporation, 752 Ting Qi Road, Wenshui County, Luliang, Shanxi. Postal Code: 489976. Phone Number：88747572. E-mail：ikxeb@aybprgwx.biz.cn

46。姓名: 上官兵乐

住址（机场）：山西省临汾市翼城县铁民路 729 号临汾立岐国际机场（邮政编码：455897）。联系电话：62326190。电子邮箱：xrpld@cidgkqwj.airports.cn

Zhù zhǐ: Shàngguān Bīng Lè Shānxī Shěng Línfén Shì Yì Chéng Xiàn Tiě Mín Lù 729 Hào Línfén Lì Qí Guó Jì Jī Chǎng (Yóuzhèng Biānmǎ：455897). Liánxì Diànhuà：62326190. Diànzǐ Yóuxiāng：xrpld@cidgkqwj.airports.cn

Bing Le Shangguan, Linfen Li Qi International Airport, 729 Tie Min Road, Yicheng County, Linfen, Shanxi. Postal Code: 455897. Phone Number：62326190. E-mail：xrpld@cidgkqwj.airports.cn

47。姓名: 东方智骥

住址（机场）：山西省晋中市榆次区可土路 364 号晋中珏陆国际机场（邮政编码：539780）。联系电话：70181356。电子邮箱：jqgco@ztpedgra.airports.cn

Zhù zhǐ: Dōngfāng Zhì Jì Shānxī Shěng Jìn Zhōng Shì Yú Cì Qū Kě Tǔ Lù 364 Hào Jn Zōng Jué Liù Guó Jì Jī Chǎng (Yóuzhèng Biānmǎ：539780). Liánxì Diànhuà：70181356. Diànzǐ Yóuxiāng：jqgco@ztpedgra.airports.cn

Zhi Ji Dongfang, Jinzhong Jue Liu International Airport, 364 Ke Tu Road, Yuci District, Jinzhong, Shanxi. Postal Code: 539780. Phone Number：70181356. E-mail：jqgco@ztpedgra.airports.cn

48。姓名: 田智大

住址（酒店）：山西省晋中市左权县冠歧路 439 号稼居酒店（邮政编码：293296）。联系电话：82008030。电子邮箱：lakdy@oafklrdn.biz.cn

Zhù zhǐ: Tián Zhì Dài Shānxī Shěng Jìn Zhōng Shì Zuǒquán Xiàn Guàn Qí Lù 439 Hào Jià Jū Jiǔ Diàn (Yóuzhèng Biānmǎ：293296). Liánxì Diànhuà：82008030. Diànzǐ Yóuxiāng：lakdy@oafklrdn.biz.cn

Zhi Dai Tian, Jia Ju Hotel, 439 Guan Qi Road, Zuoquan County, Jinzhong, Shanxi. Postal Code: 293296. Phone Number：82008030. E-mail：lakdy@oafklrdn.biz.cn

49。姓名: 茅宝舟

住址（家庭）：山西省吕梁市兴县可奎路 386 号嘉威公寓 13 层 918 室（邮政编码：617917）。联系电话：83548474。电子邮箱：xfvhw@nltakrie.cn

Zhù zhǐ: Máo Bǎo Zhōu Shānxī Shěng Lǚliáng Shì Xìng Xiàn Kě Kuí Lù 386 Hào Jiā Wēi Gōng Yù 13 Céng 918 Shì (Yóuzhèng Biānmǎ：617917). Liánxì Diànhuà：83548474. Diànzǐ Yóuxiāng：xfvhw@nltakrie.cn

Bao Zhou Mao, Room# 918, Floor# 13, Jia Wei Apartment, 386 Ke Kui Road, Xing County, Luliang, Shanxi. Postal Code: 617917. Phone Number：83548474. E-mail：xfvhw@nltakrie.cn

50。姓名: 朱锤科

住址（机场）：山西省临汾市侯马市仓郁路 759 号临汾勇茂国际机场（邮政编码：321135）。联系电话：97659540。电子邮箱：ktesj@xyflsdce.airports.cn

Zhù zhǐ: Zhū Chuí Kē Shānxī Shěng Línfén Shì Hóu Mǎ Shì Cāng Yù Lù 759 Hào Línfén Yǒng Mào Guó Jì Jī Chǎng（Yóuzhèng Biānmǎ：321135）. Liánxì Diànhuà：97659540. Diànzǐ Yóuxiāng：ktesj@xyflsdce.airports.cn

Chui Ke Zhu, Linfen Yong Mao International Airport, 759 Cang Yu Road, Houma, Linfen, Shanxi. Postal Code: 321135. Phone Number：97659540. E-mail：ktesj@xyflsdce.airports.cn

51。姓名:成屹科

住址（医院）：山西省大同市广灵县国盛路 753 号轼学医院（邮政编码：962261）。联系电话：23088286。电子邮箱：orjpc@qyclfpao.health.cn

Zhù zhǐ: Chéng Yì Kē Shānxī Shěng Dàtóng Shì Guǎng Líng Xiàn Guó Shèng Lù 753 Hào Shì Xué Yī Yuàn（Yóuzhèng Biānmǎ：962261）. Liánxì Diànhuà：23088286. Diànzǐ Yóuxiāng：orjpc@qyclfpao.health.cn

Yi Ke Cheng, Shi Xue Hospital, 753 Guo Sheng Road, Guangling County, Datong, Shanxi. Postal Code: 962261. Phone Number：23088286. E-mail：orjpc@qyclfpao.health.cn

52。姓名:巩禹汉

住址（家庭）：山西省忻州市五台县伦甫路 279 号领锡公寓 23 层 170 室（邮政编码：968587）。联系电话：83544516。电子邮箱：guart@qivdrjku.cn

Zhù zhǐ: Gǒng Yǔ Hàn Shānxī Shěng Xīnzhōu Shì Wǔ Tái Xiàn Lún Fǔ Lù 279 Hào Lǐng Xī Gōng Yù 23 Céng 170 Shì（Yóuzhèng Biānmǎ：968587）. Liánxì Diànhuà：83544516. Diànzǐ Yóuxiāng：guart@qivdrjku.cn

Yu Han Gong, Room# 170, Floor# 23, Ling Xi Apartment, 279 Lun Fu Road, Wutai County, Xinzhou, Shanxi. Postal Code: 968587. Phone Number：83544516. E-mail：guart@qivdrjku.cn

53。姓名: 韩渊舟

住址（博物院）：山西省晋中市祁县愈可路 910 号晋中博物馆（邮政编码：598571）。联系电话：38082750。电子邮箱：vjpes@ngzcivud.museums.cn

Zhù zhǐ: Hán Yuān Zhōu Shānxī Shěng Jìn Zhōng Shì Qí Xiàn Yù Kě Lù 910 Hào Jn Zōng Bó Wù Guǎn（Yóuzhèng Biānmǎ：598571). Liánxì Diànhuà：38082750. Diànzǐ Yóuxiāng：vjpes@ngzcivud.museums.cn

Yuan Zhou Han, Jinzhong Museum, 910 Yu Ke Road, Qi County, Jinzhong, Shanxi. Postal Code: 598571. Phone Number：38082750. E-mail: vjpes@ngzcivud.museums.cn

54。姓名: 昌自铁

住址（寺庙）：山西省晋中市榆次区愈风路 468 号寰食寺（邮政编码：937383）。联系电话：35211564。电子邮箱：koslr@nehgcypa.god.cn

Zhù zhǐ: Chāng Zì Tiě Shānxī Shěng Jìn Zhōng Shì Yú Cì Qū Yù Fēng Lù 468 Hào Huán Shí Sì（Yóuzhèng Biānmǎ：937383). Liánxì Diànhuà：35211564. Diànzǐ Yóuxiāng：koslr@nehgcypa.god.cn

Zi Tie Chang, Huan Shi Temple, 468 Yu Feng Road, Yuci District, Jinzhong, Shanxi. Postal Code: 937383. Phone Number：35211564. E-mail：koslr@nehgcypa.god.cn

55。姓名: 辛渊汉

住址（医院）：山西省朔州市怀仁市民奎路 110 号翼沛医院（邮政编码：614252）。联系电话：15056708。电子邮箱：vkwcu@mdonhtay.health.cn

Zhù zhǐ: Xīn Yuān Hàn Shānxī Shěng Shuò Zhōu Shì Huái Rén Shì Mín Kuí Lù 110 Hào Yì Bèi Yī Yuàn (Yóuzhèng Biānmǎ：614252). Liánxì Diànhuà：15056708. Diànzǐ Yóuxiāng：vkwcu@mdonhtay.health.cn

Yuan Han Xin, Yi Bei Hospital, 110 Min Kui Road, Huairen City, Shuozhou, Shanxi. Postal Code: 614252. Phone Number：15056708. E-mail：vkwcu@mdonhtay.health.cn

56。姓名: 褚人舟

住址（火车站）：山西省晋城市城区友咚路 929 号晋城站（邮政编码：756279）。联系电话：24990559。电子邮箱：vcsdh@nqxubwfl.chr.cn

Zhù zhǐ: Chǔ Rén Zhōu Shānxī Shěng Jìnchéng Shì Chéngqū Yǒu Dōng Lù 929 Hào Jncéng Zhàn (Yóuzhèng Biānmǎ：756279). Liánxì Diànhuà：24990559. Diànzǐ Yóuxiāng：vcsdh@nqxubwfl.chr.cn

Ren Zhou Chu, Jincheng Railway Station, 929 You Dong Road, Urban Area, Jincheng, Shanxi. Postal Code: 756279. Phone Number：24990559. E-mail：vcsdh@nqxubwfl.chr.cn

57。姓名: 谭淹帆

住址（医院）：山西省朔州市平鲁区人骥路 679 号强游医院（邮政编码：563848）。联系电话：15031550。电子邮箱：ftblm@mtdisxbu.health.cn

Zhù zhǐ: Tán Yān Fān Shānxī Shěng Shuò Zhōu Shì Píng Lǔ Qū Rén Jì Lù 679 Hào Qiǎng Yóu Yī Yuàn (Yóuzhèng Biānmǎ：563848). Liánxì Diànhuà：15031550. Diànzǐ Yóuxiāng：ftblm@mtdisxbu.health.cn

Yan Fan Tan, Qiang You Hospital, 679 Ren Ji Road, Pinglu District, Shuozhou, Shanxi. Postal Code: 563848. Phone Number：15031550. E-mail：ftblm@mtdisxbu.health.cn

58。姓名: 拓跋先石

住址（家庭）：山西省大同市灵丘县辙胜路 196 号星刚公寓 33 层 710 室（邮政编码：914068）。联系电话：18295144。电子邮箱：wtyls@fgkxyaij.cn

Zhù zhǐ: Tuòbá Xiān Dàn Shānxī Shěng Dàtóng Shì Líng Qiū Xiàn Zhé Shēng Lù 196 Hào Xīng Gāng Gōng Yù 33 Céng 710 Shì (Yóuzhèng Biānmǎ： 914068). Liánxì Diànhuà： 18295144. Diànzǐ Yóuxiāng： wtyls@fgkxyaij.cn

Xian Dan Tuoba, Room# 710, Floor# 33, Xing Gang Apartment, 196 Zhe Sheng Road, Lingqiu County, Datong, Shanxi. Postal Code: 914068. Phone Number： 18295144. E-mail： wtyls@fgkxyaij.cn

59。姓名：云源柱

住址（公共汽车站）：山西省长治市武乡县腾进路 275 号可轶站（邮政编码：673049）。联系电话：14349504。电子邮箱：gdeuo@mwobratp.transport.cn

Zhù zhǐ: Yún Yuán Zhù Shānxī Shěng Chángzhì Shì Wǔ Xiāng Xiàn Téng Jìn Lù 275 Hào Kě Yì Zhàn (Yóuzhèng Biānmǎ： 673049). Liánxì Diànhuà： 14349504. Diànzǐ Yóuxiāng： gdeuo@mwobratp.transport.cn

Yuan Zhu Yun, Ke Yi Bus Station, 275 Teng Jin Road, Wuxiang County, Changzhi, Shanxi. Postal Code: 673049. Phone Number： 14349504. E-mail： gdeuo@mwobratp.transport.cn

60。姓名：司空熔兆

住址（湖泊）：山西省忻州市保德县克禹路 192 号陆翰湖（邮政编码：415902）。联系电话：54823485。电子邮箱：avmdt@zhxqyrjn.lakes.cn

Zhù zhǐ: Sīkōng Róng Zhào Shānxī Shěng Xīnzhōu Shì Bǎo Dé Xiàn Kè Yǔ Lù 192 Hào Lù Hàn Hú (Yóuzhèng Biānmǎ： 415902). Liánxì Diànhuà： 54823485. Diànzǐ Yóuxiāng： avmdt@zhxqyrjn.lakes.cn

Rong Zhao Sikong, Lu Han Lake, 192 Ke Yu Road, Baode County, Xinzhou, Shanxi. Postal Code: 415902. Phone Number： 54823485. E-mail： avmdt@zhxqyrjn.lakes.cn

CHAPTER 3: NAME, SURNAME & ADDRESSES (61-90)

61。姓名: 连嘉斌

住址（公园）：山西省长治市潞城区大冕路 354 号其启公园（邮政编码：263217）。联系电话：59320403。电子邮箱：klsdb@dnfsyxpb.parks.cn

Zhù zhǐ: Lián Jiā Bīn Shānxī Shěng Chángzhì Shì Lù Chéngqū Dà Miǎn Lù 354 Hào Qí Qǐ Gōng Yuán (Yóuzhèng Biānmǎ: 263217). Liánxì Diànhuà: 59320403. Diànzǐ Yóuxiāng: klsdb@dnfsyxpb.parks.cn

Jia Bin Lian, Qi Qi Park, 354 Da Mian Road, Lucheng District, Changzhi, Shanxi. Postal Code: 263217. Phone Number: 59320403. E-mail: klsdb@dnfsyxpb.parks.cn

62。姓名: 谈强可

住址（医院）：山西省阳泉市郊区德恩路 637 号浩翼医院（邮政编码：944602）。联系电话：91955078。电子邮箱：ztjun@dujxphmy.health.cn

Zhù zhǐ: Tán Qiǎng Kě Shānxī Shěng Yángquán Shì Jiāoqū Dé Ēn Lù 637 Hào Hào Yì Yī Yuàn (Yóuzhèng Biānmǎ: 944602). Liánxì Diànhuà: 91955078. Diànzǐ Yóuxiāng: ztjun@dujxphmy.health.cn

Qiang Ke Tan, Hao Yi Hospital, 637 De En Road, Jiao District, Yangquan, Shanxi. Postal Code: 944602. Phone Number: 91955078. E-mail: ztjun@dujxphmy.health.cn

63。姓名: 亢茂启

住址（寺庙）：山西省临汾市侯马市帆渊路 854 号伦寰寺（邮政编码：516863）。联系电话：79591394。电子邮箱：mnjhr@jztbyfwi.god.cn

Zhù zhǐ: Kàng Mào Qǐ Shānxī Shěng Línfén Shì Hóu Mǎ Shì Fān Yuān Lù 854 Hào Lún Huán Sì (Yóuzhèng Biānmǎ: 516863). Liánxì Diànhuà: 79591394. Diànzǐ Yóuxiāng: mnjhr@jztbyfwi.god.cn

Mao Qi Kang, Lun Huan Temple, 854 Fan Yuan Road, Houma, Linfen, Shanxi. Postal Code: 516863. Phone Number：79591394. E-mail：mnjhr@jztbyfwi.god.cn

64。姓名: 端木钢员

住址（寺庙）：山西省晋城市沁水县领水路 812 号豪亮寺（邮政编码：591722）。联系电话：16438237。电子邮箱：ebsgv@yrcnkbap.god.cn

Zhù zhǐ: Duānmù Gāng Yún Shānxī Shěng Jìnchéng Shì Qìn Shuǐ Xiàn Lǐng Shuǐ Lù 812 Hào Háo Liàng Sì（Yóuzhèng Biānmǎ：591722). Liánxì Diànhuà：16438237. Diànzǐ Yóuxiāng：ebsgv@yrcnkbap.god.cn

Gang Yun Duanmu, Hao Liang Temple, 812 Ling Shui Road, Qinshui County, Jincheng, Shanxi. Postal Code: 591722. Phone Number：16438237. E-mail：ebsgv@yrcnkbap.god.cn

65。姓名: 黎其豹

住址（博物院）：山西省太原市娄烦县兆跃路 270 号太原博物馆（邮政编码：678975）。联系电话：35386854。电子邮箱：weboj@gcywuezq.museums.cn

Zhù zhǐ: Lí Qí Bào Shānxī Shěng Tàiyuán Shì Lóu Fán Xiàn Zhào Yuè Lù 270 Hào Tàiyuán Bó Wù Guǎn（Yóuzhèng Biānmǎ：678975). Liánxì Diànhuà：35386854. Diànzǐ Yóuxiāng：weboj@gcywuezq.museums.cn

Qi Bao Li, Taiyuan Museum, 270 Zhao Yue Road, Loufan County, Taiyuan, Shanxi. Postal Code: 678975. Phone Number：35386854. E-mail：weboj@gcywuezq.museums.cn

66。姓名: 澹台陆智

住址（博物院）：山西省太原市杏花岭区超秀路 888 号太原博物馆（邮政编码：824591）。联系电话：41832174。电子邮箱：ahlbc@pxmgywfq.museums.cn

Zhù zhǐ: Tántái Lù Zhì Shānxī Shěng Tàiyuán Shì Xìng Huā Lǐng Qū Chāo Xiù Lù 888 Hào Tàiyuán Bó Wù Guǎn (Yóuzhèng Biānmǎ：824591). Liánxì Diànhuà：41832174. Diànzǐ Yóuxiāng：ahlbc@pxmgywfq.museums.cn

Lu Zhi Tantai, Taiyuan Museum, 888 Chao Xiu Road, Xinghualing District, Taiyuan, Shanxi. Postal Code: 824591. Phone Number：41832174. E-mail：ahlbc@pxmgywfq.museums.cn

67。姓名: 蓝葛其

住址（火车站）：山西省运城市绛县珂跃路 571 号运城站（邮政编码：554136）。联系电话：70015348。电子邮箱：moeui@zrdnlupi.chr.cn

Zhù zhǐ: Lán Gé Qí Shānxī Shěng Yùn Chéng Shì Jiàng Xiàn Kē Yuè Lù 571 Hào Yùn Céng Zhàn (Yóuzhèng Biānmǎ：554136). Liánxì Diànhuà：70015348. Diànzǐ Yóuxiāng：moeui@zrdnlupi.chr.cn

Ge Qi Lan, Yuncheng Railway Station, 571 Ke Yue Road, Jiang County, Yuncheng, Shanxi. Postal Code: 554136. Phone Number：70015348. E-mail：moeui@zrdnlupi.chr.cn

68。姓名: 汝翰亚

住址（大学）：山西省晋中市和顺县铁冠大学磊其路 943 号（邮政编码：707484）。联系电话：83110050。电子邮箱：omnly@hqjatxrd.edu.cn

Zhù zhǐ: Rǔ Hàn Yà Shānxī Shěng Jìn Zhōng Shì Héshùn Xiàn Fū Guàn DàxuéLěi Qí Lù 943 Hào (Yóuzhèng Biānmǎ：707484). Liánxì Diànhuà：83110050. Diànzǐ Yóuxiāng：omnly@hqjatxrd.edu.cn

Han Ya Ru, Fu Guan University, 943 Lei Qi Road, Heshun County, Jinzhong, Shanxi. Postal Code: 707484. Phone Number：83110050. E-mail：omnly@hqjatxrd.edu.cn

69。姓名: 乐晗寰

住址（广场）：山西省太原市阳曲县坚斌路 820 号振珂广场（邮政编码：744867）。联系电话：34719078。电子邮箱：ncthw@qzgbaolj.squares.cn

Zhù zhǐ: Yuè Hán Huán Shānxī Shěng Tàiyuán Shì Yáng Qū Xiàn Jiān Bīn Lù 820 Hào Zhèn Kē Guǎng Chǎng（Yóuzhèng Biānmǎ：744867). Liánxì Diànhuà：34719078. Diànzǐ Yóuxiāng：ncthw@qzgbaolj.squares.cn

Han Huan Yue, Zhen Ke Square, 820 Jian Bin Road, Yangqu County, Taiyuan, Shanxi. Postal Code: 744867. Phone Number：34719078. E-mail：ncthw@qzgbaolj.squares.cn

70。姓名: 崔陆坡

住址（大学）：山西省太原市迎泽区友石大学迅寰路 216 号（邮政编码：130709）。联系电话：15128350。电子邮箱：dmvfs@dbgtflvk.edu.cn

Zhù zhǐ: Cuī Liù Pō Shānxī Shěng Tàiyuán Shì Yíng Zé Qū Yǒu Shí DàxuéXùn Huán Lù 216 Hào（Yóuzhèng Biānmǎ：130709). Liánxì Diànhuà：15128350. Diànzǐ Yóuxiāng：dmvfs@dbgtflvk.edu.cn

Liu Po Cui, You Shi University, 216 Xun Huan Road, Yingze District, Taiyuan, Shanxi. Postal Code: 130709. Phone Number：15128350. E-mail：dmvfs@dbgtflvk.edu.cn

71。姓名: 佘译水

住址（医院）：山西省忻州市五台县胜世路 522 号陆食医院（邮政编码：315818）。联系电话：80438267。电子邮箱：ejoiz@kswljqxb.health.cn

Zhù zhǐ: Shé Yì Shuǐ Shānxī Shěng Xīnzhōu Shì Wǔ Tái Xiàn Shēng Shì Lù 522 Hào Liù Yì Yī Yuàn（Yóuzhèng Biānmǎ：315818). Liánxì Diànhuà：80438267. Diànzǐ Yóuxiāng：ejoiz@kswljqxb.health.cn

Yi Shui She, Liu Yi Hospital, 522 Sheng Shi Road, Wutai County, Xinzhou, Shanxi. Postal Code: 315818. Phone Number：80438267. E-mail：ejoiz@kswljqxb.health.cn

72。姓名: 暨铁福

住址（医院）：山西省长治市壶关县咚焯路 630 号原伦医院（邮政编码：442376）。联系电话：52501569。电子邮箱：ixwqz@fgkvmdpo.health.cn

Zhù zhǐ: Jì Tiě Fú Shānxī Shěng Chángzhì Shì Hú Guān Xiàn Dōng Chāo Lù 630 Hào Yuán Lún Yī Yuàn (Yóuzhèng Biānmǎ：442376). Liánxì Diànhuà：52501569. Diànzǐ Yóuxiāng：ixwqz@fgkvmdpo.health.cn

Tie Fu Ji, Yuan Lun Hospital, 630 Dong Chao Road, Huguan County, Changzhi, Shanxi. Postal Code: 442376. Phone Number：52501569. E-mail：ixwqz@fgkvmdpo.health.cn

73。姓名: 贡红迅

住址（公园）：山西省临汾市吉县圣乙路 567 号居食公园（邮政编码：638301）。联系电话：18586232。电子邮箱：lgqjp@wcyelfiu.parks.cn

Zhù zhǐ: Gòng Hóng Xùn Shānxī Shěng Línfén Shì Jí Xiàn Shèng Yǐ Lù 567 Hào Jū Shí Gōng Yuán (Yóuzhèng Biānmǎ：638301). Liánxì Diànhuà：18586232. Diànzǐ Yóuxiāng：lgqjp@wcyelfiu.parks.cn

Hong Xun Gong, Ju Shi Park, 567 Sheng Yi Road, Ji County, Linfen, Shanxi. Postal Code: 638301. Phone Number：18586232. E-mail：lgqjp@wcyelfiu.parks.cn

74。姓名: 晁大计

住址（家庭）：山西省太原市迎泽区泽自路 476 号发易公寓 18 层 179 室（邮政编码：357695）。联系电话：13829542。电子邮箱：qrmyp@ydfcklum.cn

Zhù zhǐ: Cháo Dà Jì Shānxī Shěng Tàiyuán Shì Yíng Zé Qū Zé Zì Lù 476 Hào Fā Yì Gōng Yù 18 Céng 179 Shì (Yóuzhèng Biānmǎ：357695). Liánxì Diànhuà：13829542. Diànzǐ Yóuxiāng：qrmyp@ydfcklum.cn

Da Ji Chao, Room# 179, Floor# 18, Fa Yi Apartment, 476 Ze Zi Road, Yingze District, Taiyuan, Shanxi. Postal Code: 357695. Phone Number：13829542. E-mail：qrmyp@ydfcklum.cn

75。姓名: 申屠陶洵

住址（火车站）：山西省大同市天镇县楚水路 294 号大同站（邮政编码：650375）。联系电话：37706383。电子邮箱：ucytz@tgelhyvs.chr.cn

Zhù zhǐ: Shēntú Táo Xún Shānxī Shěng Dàtóng Shì Tiān Zhèn Xiàn Chǔ Shuǐ Lù 294 Hào Dàtóng Zhàn（Yóuzhèng Biānmǎ：650375). Liánxì Diànhuà：37706383. Diànzǐ Yóuxiāng：ucytz@tgelhyvs.chr.cn

Tao Xun Shentu, Datong Railway Station, 294 Chu Shui Road, Tianzhen County, Datong, Shanxi. Postal Code: 650375. Phone Number：37706383. E-mail：ucytz@tgelhyvs.chr.cn

76。姓名: 单于强白

住址（湖泊）：山西省长治市沁源县食大路 486 号坚淹湖（邮政编码：412860）。联系电话：58465079。电子邮箱：mhkbp@zmnwqfsy.lakes.cn

Zhù zhǐ: Chányú Qiáng Bái Shānxī Shěng Chángzhì Shì Qìn Yuán Xiàn Shí Dài Lù 486 Hào Jiān Yān Hú（Yóuzhèng Biānmǎ：412860). Liánxì Diànhuà：58465079. Diànzǐ Yóuxiāng：mhkbp@zmnwqfsy.lakes.cn

Qiang Bai Chanyu, Jian Yan Lake, 486 Shi Dai Road, Qinyuan County, Changzhi, Shanxi. Postal Code: 412860. Phone Number：58465079. E-mail：mhkbp@zmnwqfsy.lakes.cn

77。姓名: 商豹南

住址（公园）：山西省晋城市沁水县科食路 326 号庆恩公园（邮政编码：291121）。联系电话：73052041。电子邮箱：qfzab@rnvuglyx.parks.cn

Zhù zhǐ: Shāng Bào Nán Shānxī Shěng Jìnchéng Shì Qín Shuǐ Xiàn Kē Yì Lù 326 Hào Qìng Ēn Gōng Yuán (Yóuzhèng Biānmǎ: 291121). Liánxì Diànhuà: 73052041. Diànzǐ Yóuxiāng: qfzab@rnvuglyx.parks.cn

Bao Nan Shang, Qing En Park, 326 Ke Yi Road, Qinshui County, Jincheng, Shanxi. Postal Code: 291121. Phone Number: 73052041. E-mail: qfzab@rnvuglyx.parks.cn

78。姓名: 张强近

住址（火车站）：山西省临汾市隰县泽陆路 837 号临汾站（邮政编码：264808）。联系电话：16736284。电子邮箱：cmqzy@prwmabif.chr.cn

Zhù zhǐ: Zhāng Qiǎng Jìn Shānxī Shěng Línfén Shì Xí Xiàn Zé Lù Lù 837 Hào Línfén Zhàn (Yóuzhèng Biānmǎ: 264808). Liánxì Diànhuà: 16736284. Diànzǐ Yóuxiāng: cmqzy@prwmabif.chr.cn

Qiang Jin Zhang, Linfen Railway Station, 837 Ze Lu Road, Xi County, Linfen, Shanxi. Postal Code: 264808. Phone Number: 16736284. E-mail: cmqzy@prwmabif.chr.cn

79。姓名: 滕辉亚

住址（湖泊）：山西省吕梁市石楼县领九路 703 号风石湖（邮政编码：498025）。联系电话：51217850。电子邮箱：zmhwa@hdxnptzi.lakes.cn

Zhù zhǐ: Téng Huī Yà Shānxī Shěng Lǚliáng Shì Shí Lóu Xiàn Lǐng Jiǔ Lù 703 Hào Fēng Shí Hú (Yóuzhèng Biānmǎ: 498025). Liánxì Diànhuà: 51217850. Diànzǐ Yóuxiāng: zmhwa@hdxnptzi.lakes.cn

Hui Ya Teng, Feng Shi Lake, 703 Ling Jiu Road, Shilou County, Luliang, Shanxi. Postal Code: 498025. Phone Number: 51217850. E-mail: zmhwa@hdxnptzi.lakes.cn

80。姓名: 吉波顺

住址（公共汽车站）：山西省大同市浑源县祥乐路 724 号冠亭站（邮政编码：834576）。联系电话：35395266。电子邮箱：phwye@cfqgmyoz.transport.cn

Zhù zhǐ: Jí Bō Shùn Shānxī Shěng Dàtóng Shì Hún Yuán Xiàn Xiáng Lè Lù 724 Hào Guàn Tíng Zhàn (Yóuzhèng Biānmǎ：834576). Liánxì Diànhuà：35395266. Diànzǐ Yóuxiāng：phwye@cfqgmyoz.transport.cn

Bo Shun Ji, Guan Ting Bus Station, 724 Xiang Le Road, Hunyuan County, Datong, Shanxi. Postal Code: 834576. Phone Number：35395266. E-mail：phwye@cfqgmyoz.transport.cn

81。姓名: 蓟黎可

住址（公司）：山西省晋城市泽州县兆伦路 198 号院轵有限公司（邮政编码：923639）。联系电话：43997295。电子邮箱：brzty@fidaotkc.biz.cn

Zhù zhǐ: Jì Lí Kě Shānxī Shěng Jìnchéng Shì Zé Zhōu Xiàn Zhào Lún Lù 198 Hào Yuàn Shì Yǒuxiàn Gōngsī (Yóuzhèng Biānmǎ：923639). Liánxì Diànhuà：43997295. Diànzǐ Yóuxiāng：brzty@fidaotkc.biz.cn

Li Ke Ji, Yuan Shi Corporation, 198 Zhao Lun Road, Zezhou County, Jincheng, Shanxi. Postal Code: 923639. Phone Number：43997295. E-mail：brzty@fidaotkc.biz.cn

82。姓名: 池楚岐

住址（寺庙）：山西省晋城市陵川县庆咚路 832 号星强寺（邮政编码：804401）。联系电话：90134964。电子邮箱：drkgo@rxdmobtv.god.cn

Zhù zhǐ: Chí Chǔ Qí Shānxī Shěng Jìnchéng Shì Líng Chuān Xiàn Qìng Dōng Lù 832 Hào Xīng Qiáng Sì (Yóuzhèng Biānmǎ：804401). Liánxì Diànhuà：90134964. Diànzǐ Yóuxiāng：drkgo@rxdmobtv.god.cn

Chu Qi Chi, Xing Qiang Temple, 832 Qing Dong Road, Lingchuan County, Jincheng, Shanxi. Postal Code: 804401. Phone Number：90134964. E-mail：drkgo@rxdmobtv.god.cn

83。姓名: 栾土白

住址（公共汽车站）：山西省吕梁市临县陶泽路 752 号坚进站（邮政编码：143342）。联系电话：60232328。电子邮箱：lgwru@yvixlsct.transport.cn

Zhù zhǐ: Luán Tǔ Bái Shānxī Shěng Lǚliáng Shì Lín Xiàn Táo Zé Lù 752 Hào Jiān Jìn Zhàn （Yóuzhèng Biānmǎ：143342). Liánxì Diànhuà：60232328. Diànzǐ Yóuxiāng：lgwru@yvixlsct.transport.cn

Tu Bai Luan, Jian Jin Bus Station, 752 Tao Ze Road, Lin County, Luliang, Shanxi. Postal Code: 143342. Phone Number：60232328. E-mail：lgwru@yvixlsct.transport.cn

84。姓名: 师隆汉

住址（公司）：山西省晋中市昔阳县斌稼路 662 号来锡有限公司（邮政编码：398975）。联系电话：82336217。电子邮箱：hciok@crvuklzn.biz.cn

Zhù zhǐ: Shī Lóng Hàn Shānxī Shěng Jìn Zhōng Shì Xī Yáng Xiàn Bīn Jià Lù 662 Hào Lái Xī Yǒuxiàn Gōngsī （Yóuzhèng Biānmǎ：398975). Liánxì Diànhuà：82336217. Diànzǐ Yóuxiāng：hciok@crvuklzn.biz.cn

Long Han Shi, Lai Xi Corporation, 662 Bin Jia Road, Xiyang County, Jinzhong, Shanxi. Postal Code: 398975. Phone Number：82336217. E-mail：hciok@crvuklzn.biz.cn

85。姓名: 索际铁

住址（广场）：山西省朔州市山阴县德学路 470 号迅世广场（邮政编码：495567）。联系电话：14553399。电子邮箱：pkgti@txnysldq.squares.cn

Zhù zhǐ: Suǒ Jì Fū Shānxī Shěng Shuò Zhōu Shì Shān Yīn Xiàn Dé Xué Lù 470 Hào Xùn Shì Guǎng Chǎng （Yóuzhèng Biānmǎ：495567). Liánxì Diànhuà：14553399. Diànzǐ Yóuxiāng：pkgti@txnysldq.squares.cn

Ji Fu Suo, Xun Shi Square, 470 De Xue Road, Sanyin County, Shuozhou, Shanxi. Postal Code: 495567. Phone Number：14553399. E-mail：pkgti@txnysldq.squares.cn

86。姓名: 仇风尚

住址（机场）：山西省忻州市定襄县原威路 898 号忻州亭智国际机场（邮政编码：699268）。联系电话：32920321。电子邮箱：irtcq@onaibxdw.airports.cn

Zhù zhǐ: Qiú Fēng Shàng Shānxī Shěng Xīnzhōu Shì Dìng Xiāng Xiàn Yuán Wēi Lù 898 Hào Xīnzōu Tíng Zhì Guó Jì Jī Chǎng（Yóuzhèng Biānmǎ：699268). Liánxì Diànhuà：32920321. Diànzǐ Yóuxiāng：irtcq@onaibxdw.airports.cn

Feng Shang Qiu, Xinzhou Ting Zhi International Airport, 898 Yuan Wei Road, Dingxiang County, Xinzhou, Shanxi. Postal Code: 699268. Phone Number：32920321. E-mail：irtcq@onaibxdw.airports.cn

87。姓名: 欧阳钦石

住址（广场）：山西省阳泉市城区勇顺路 688 号郁敬广场（邮政编码：311622）。联系电话：89271416。电子邮箱：kylxo@iskzgvxh.squares.cn

Zhù zhǐ: Ōuyáng Qīn Shí Shānxī Shěng Yángquán Shì Chéngqū Yǒng Shùn Lù 688 Hào Yù Jìng Guǎng Chǎng（Yóuzhèng Biānmǎ：311622). Liánxì Diànhuà：89271416. Diànzǐ Yóuxiāng：kylxo@iskzgvxh.squares.cn

Qin Shi Ouyang, Yu Jing Square, 688 Yong Shun Road, Urban Area, Yangquan, Shanxi. Postal Code: 311622. Phone Number：89271416. E-mail：kylxo@iskzgvxh.squares.cn

88。姓名: 羿辉郁

住址（机场）：山西省临汾市乡宁县熔洵路 319 号临汾熔涛国际机场（邮政编码：225792）。联系电话：61221127。电子邮箱：ueopz@xpjyiagb.airports.cn

Zhù zhǐ: Yì Huī Yù Shānxī Shěng Línfén Shì Xiāng Níngxiàn Róng Xún Lù 319 Hào Línfén Róng Tāo Guó Jì Jī Chǎng (Yóuzhèng Biānmǎ：225792). Liánxì Diànhuà：61221127. Diànzǐ Yóuxiāng：ueopz@xpjyiagb.airports.cn

Hui Yu Yi, Linfen Rong Tao International Airport, 319 Rong Xun Road, Xiangning County, Linfen, Shanxi. Postal Code: 225792. Phone Number：61221127. E-mail：ueopz@xpjyiagb.airports.cn

89。姓名: 边游奎

住址（酒店）：山西省吕梁市石楼县圣舟路 501 号发懂酒店（邮政编码：197318）。联系电话：55542847。电子邮箱：usekb@oftcdhwp.biz.cn

Zhù zhǐ: Biān Yóu Kuí Shānxī Shěng Lǚliáng Shì Shí Lóu Xiàn Shèng Zhōu Lù 501 Hào Fā Dǒng Jiǔ Diàn (Yóuzhèng Biānmǎ：197318). Liánxì Diànhuà：55542847. Diànzǐ Yóuxiāng：usekb@oftcdhwp.biz.cn

You Kui Bian, Fa Dong Hotel, 501 Sheng Zhou Road, Shilou County, Luliang, Shanxi. Postal Code: 197318. Phone Number：55542847. E-mail：usekb@oftcdhwp.biz.cn

90。姓名: 璩亚食

住址（广场）：山西省大同市阳高县胜隆路 538 号彬科广场（邮政编码：551366）。联系电话：41788100。电子邮箱：licgz@wmzgucre.squares.cn

Zhù zhǐ: Qú Yà Shí Shānxī Shěng Dàtóng Shì Yáng gāo xiàn Shēng Lóng Lù 538 Hào Bīn Kē Guǎng Chǎng (Yóuzhèng Biānmǎ：551366). Liánxì Diànhuà：41788100. Diànzǐ Yóuxiāng：licgz@wmzgucre.squares.cn

Ya Shi Qu, Bin Ke Square, 538 Sheng Long Road, Yanggao County, Datong, Shanxi. Postal Code: 551366. Phone Number：41788100. E-mail：licgz@wmzgucre.squares.cn

CHAPTER 4: NAME, SURNAME & ADDRESSES (91-120)

91。姓名: 庞土勇

住址（公园）：山西省太原市晋源区风淹路 274 号可秀公园（邮政编码：651523）。联系电话：89519422。电子邮箱：igvmz@sgkqnhuw.parks.cn

Zhù zhǐ: Páng Tǔ Yǒng Shānxī Shěng Tàiyuán Shì Jìn Yuán Qū Fēng Yān Lù 274 Hào Kě Xiù Gōng Yuán（Yóuzhèng Biānmǎ：651523). Liánxì Diànhuà：89519422. Diànzǐ Yóuxiāng：igvmz@sgkqnhuw.parks.cn

Tu Yong Pang, Ke Xiu Park, 274 Feng Yan Road, Jinyuan District, Taiyuan, Shanxi. Postal Code: 651523. Phone Number：89519422. E-mail：igvmz@sgkqnhuw.parks.cn

92。姓名: 经秀顺

住址（湖泊）：山西省吕梁市孝义市队白路 801 号坤涛湖（邮政编码：860657）。联系电话：74618776。电子邮箱：abelq@mltfvisd.lakes.cn

Zhù zhǐ: Jīng Xiù Shùn Shānxī Shěng Lǔliáng Shì Xiào Yì Shì Duì Bái Lù 801 Hào Kūn Tāo Hú（Yóuzhèng Biānmǎ：860657). Liánxì Diànhuà：74618776. Diànzǐ Yóuxiāng：abelq@mltfvisd.lakes.cn

Xiu Shun Jing, Kun Tao Lake, 801 Dui Bai Road, Xiaoyi City, Luliang, Shanxi. Postal Code: 860657. Phone Number：74618776. E-mail：abelq@mltfvisd.lakes.cn

93。姓名: 微跃石

住址（公园）：山西省临汾市蒲县盛陆路 188 号先守公园（邮政编码：724330）。联系电话：43997939。电子邮箱：furhc@tdacuomz.parks.cn

Zhù zhǐ: Wēi Yuè Dàn Shānxī Shěng Línfén Shì Pú Xiàn Chéng Liù Lù 188 Hào Xiān Shǒu Gōng Yuán（Yóuzhèng Biānmǎ：724330). Liánxì Diànhuà：43997939. Diànzǐ Yóuxiāng：furhc@tdacuomz.parks.cn

Yue Dan Wei, Xian Shou Park, 188 Cheng Liu Road, Pu County, Linfen, Shanxi. Postal Code: 724330. Phone Number：43997939. E-mail：furhc@tdacuomz.parks.cn

94。姓名: 强原大

住址（湖泊）：山西省吕梁市交城县茂钊路 803 号自圣湖（邮政编码：321229）。联系电话：93039156。电子邮箱：jqskn@nkufvqtc.lakes.cn

Zhù zhǐ: Qiáng Yuán Dài Shānxī Shěng Lǚliáng Shì Jiāo Chéng Xiàn Mào Zhāo Lù 803 Hào Zì Shèng Hú (Yóuzhèng Biānmǎ：321229). Liánxì Diànhuà：93039156. Diànzǐ Yóuxiāng：jqskn@nkufvqtc.lakes.cn

Yuan Dai Qiang, Zi Sheng Lake, 803 Mao Zhao Road, Jiaocheng County, Luliang, Shanxi. Postal Code: 321229. Phone Number：93039156. E-mail：jqskn@nkufvqtc.lakes.cn

95。姓名: 茹晗居

住址（公共汽车站）：山西省长治市武乡县熔计路 220 号兵居站（邮政编码：284259）。联系电话：92532094。电子邮箱：ygdtc@wjprdlyc.transport.cn

Zhù zhǐ: Rú Hán Jū Shānxī Shěng Chángzhì Shì Wǔ Xiāng Xiàn Róng Jì Lù 220 Hào Bīng Jū Zhàn (Yóuzhèng Biānmǎ：284259). Liánxì Diànhuà：92532094. Diànzǐ Yóuxiāng：ygdtc@wjprdlyc.transport.cn

Han Ju Ru, Bing Ju Bus Station, 220 Rong Ji Road, Wuxiang County, Changzhi, Shanxi. Postal Code: 284259. Phone Number：92532094. E-mail：ygdtc@wjprdlyc.transport.cn

96。姓名: 徐昌盛

住址（公共汽车站）：山西省晋中市左权县守晗路 967 号食惟站（邮政编码：788072）。联系电话：40267507。电子邮箱：wlvmh@zqganemy.transport.cn

Zhù zhǐ: Xú Chāng Shèng Shānxī Shěng Jìn Zhōng Shì Zuǒquán Xiàn Shǒu Hán Lù 967 Hào Yì Wéi Zhàn (Yóuzhèng Biānmǎ：788072). Liánxì Diànhuà：40267507. Diànzǐ Yóuxiāng：wlvmh@zqganemy.transport.cn

Chang Sheng Xu, Yi Wei Bus Station, 967 Shou Han Road, Zuoquan County, Jinzhong, Shanxi. Postal Code: 788072. Phone Number：40267507. E-mail：wlvmh@zqganemy.transport.cn

97。姓名: 穆食世

住址（大学）：山西省朔州市右玉县焯伦大学白风路 309 号（邮政编码：454015）。联系电话：37116133。电子邮箱：tdhmv@qakuiypl.edu.cn

Zhù zhǐ: Mù Sì Shì Shānxī Shěng Shuò Zhōu Shì Yòu Yù Xiàn Chāo Lún DàxuéBái Fēng Lù 309 Hào (Yóuzhèng Biānmǎ：454015). Liánxì Diànhuà：37116133. Diànzǐ Yóuxiāng：tdhmv@qakuiypl.edu.cn

Si Shi Mu, Chao Lun University, 309 Bai Feng Road, Youyu County, Shuozhou, Shanxi. Postal Code: 454015. Phone Number：37116133. E-mail：tdhmv@qakuiypl.edu.cn

98。姓名: 秋启兆

住址（医院）：山西省太原市杏花岭区己进路 810 号涛晖医院（邮政编码：145946）。联系电话：51782419。电子邮箱：kmwfr@phoigrcs.health.cn

Zhù zhǐ: Qiū Qǐ Zhào Shānxī Shěng Tàiyuán Shì Xìng Huā Lǐng Qū Jǐ Jìn Lù 810 Hào Tāo Huī Yī Yuàn (Yóuzhèng Biānmǎ：145946). Liánxì Diànhuà：51782419. Diànzǐ Yóuxiāng：kmwfr@phoigrcs.health.cn

Qi Zhao Qiu, Tao Hui Hospital, 810 Ji Jin Road, Xinghualing District, Taiyuan, Shanxi. Postal Code: 145946. Phone Number：51782419. E-mail：kmwfr@phoigrcs.health.cn

99。姓名: 甄甫继

住址（公园）：山西省运城市临猗县福强路 636 号守原公园（邮政编码：831315）。联系电话：90748231。电子邮箱：mktzx@igbvcrxm.parks.cn

Zhù zhǐ: Zhēn Fǔ Jì Shānxī Shěng Yùn Chéng Shì Lín Yī Xiàn Fú Qiǎng Lù 636 Hào Shǒu Yuán Gōng Yuán（Yóuzhèng Biānmǎ：831315）. Liánxì Diànhuà：90748231. Diànzǐ Yóuxiāng：mktzx@igbvcrxm.parks.cn

Fu Ji Zhen, Shou Yuan Park, 636 Fu Qiang Road, Linyi County, Yuncheng, Shanxi. Postal Code: 831315. Phone Number：90748231. E-mail：mktzx@igbvcrxm.parks.cn

100。姓名: 东郭石岐

住址（公司）：山西省忻州市定襄县兆原路 831 号宝冠有限公司（邮政编码：749492）。联系电话：45281409。电子邮箱：xqnug@sgltuobe.biz.cn

Zhù zhǐ: Dōngguō Dàn Qí Shānxī Shěng Xīnzhōu Shì Dìng Xiāng Xiàn Zhào Yuán Lù 831 Hào Bǎo Guān Yǒuxiàn Gōngsī（Yóuzhèng Biānmǎ：749492）. Liánxì Diànhuà：45281409. Diànzǐ Yóuxiāng：xqnug@sgltuobe.biz.cn

Dan Qi Dongguo, Bao Guan Corporation, 831 Zhao Yuan Road, Dingxiang County, Xinzhou, Shanxi. Postal Code: 749492. Phone Number：45281409. E-mail：xqnug@sgltuobe.biz.cn

101。姓名: 管禹勇

住址（家庭）：山西省大同市浑源县翼科路 913 号居炯公寓 49 层 322 室（邮政编码：560445）。联系电话：24384403。电子邮箱：hrwle@vxkmeopw.cn

Zhù zhǐ: Guǎn Yǔ Yǒng Shānxī Shěng Dàtóng Shì Hún Yuán Xiàn Yì Kē Lù 913 Hào Jū Jiǒng Gōng Yù 49 Céng 322 Shì (Yóuzhèng Biānmǎ：560445). Liánxì Diànhuà：24384403. Diànzǐ Yóuxiāng：hrwle@vxkmeopw.cn

Yu Yong Guan, Room# 322, Floor# 49, Ju Jiong Apartment, 913 Yi Ke Road, Hunyuan County, Datong, Shanxi. Postal Code: 560445. Phone Number：24384403. E-mail：hrwle@vxkmeopw.cn

102。姓名: 华甫石

住址（火车站）：山西省朔州市怀仁市冠葆路 350 号朔州站（邮政编码：917780）。联系电话：91827863。电子邮箱：kgivm@bhkqwlsx.chr.cn

Zhù zhǐ: Huà Fǔ Dàn Shānxī Shěng Shuò Zhōu Shì Huái Rén Shì Guān Bǎo Lù 350 Hào uò Zōu Zhàn （Yóuzhèng Biānmǎ：917780). Liánxì Diànhuà：91827863. Diànzǐ Yóuxiāng：kgivm@bhkqwlsx.chr.cn

Fu Dan Hua, Shuozhou Railway Station, 350 Guan Bao Road, Huairen City, Shuozhou, Shanxi. Postal Code: 917780. Phone Number：91827863. E-mail：kgivm@bhkqwlsx.chr.cn

103。姓名: 牛坚坡

住址（湖泊）：山西省吕梁市柳林县焯南路 247 号友隆湖（邮政编码：333852）。联系电话：53764455。电子邮箱：rpzqe@mcdbglfa.lakes.cn

Zhù zhǐ: Niú Jiān Pō Shānxī Shěng Lǚliáng Shì Liǔ Lín Xiàn Chāo Nán Lù 247 Hào Yǒu Lóng Hú （Yóuzhèng Biānmǎ：333852). Liánxì Diànhuà：53764455. Diànzǐ Yóuxiāng：rpzqe@mcdbglfa.lakes.cn

Jian Po Niu, You Long Lake, 247 Chao Nan Road, Liulin County, Luliang, Shanxi. Postal Code: 333852. Phone Number：53764455. E-mail：rpzqe@mcdbglfa.lakes.cn

104。姓名: 乐亭其

住址（博物院）：山西省晋城市高平市陶智路 867 号晋城博物馆（邮政编码：327037）。联系电话：83150159。电子邮箱：baiyg@ecskpbiv.museums.cn

Zhù zhǐ: Yuè Tíng Qí Shānxī Shěng Jìnchéng Shì Gāopíng Shì Táo Zhì Lù 867 Hào Jncéng Bó Wù Guǎn (Yóuzhèng Biānmǎ：327037). Liánxì Diànhuà：83150159. Diànzǐ Yóuxiāng：baiyg@ecskpbiv.museums.cn

Ting Qi Yue, Jincheng Museum, 867 Tao Zhi Road, Gaoping City, Jincheng, Shanxi. Postal Code: 327037. Phone Number：83150159. E-mail：baiyg@ecskpbiv.museums.cn

105。姓名: 沈游国

住址（酒店）：山西省阳泉市矿区晗先路 109 号熔继酒店（邮政编码：645104）。联系电话：12930538。电子邮箱：qbrkc@mvprbnjc.biz.cn

Zhù zhǐ: Shěn Yóu Guó Shānxī Shěng Yángquán Shì Kuàngqū Hán Xiān Lù 109 Hào Róng Jì Jiǔ Diàn (Yóuzhèng Biānmǎ：645104). Liánxì Diànhuà：12930538. Diànzǐ Yóuxiāng：qbrkc@mvprbnjc.biz.cn

You Guo Shen, Rong Ji Hotel, 109 Han Xian Road, Mining Area, Yangquan, Shanxi. Postal Code: 645104. Phone Number：12930538. E-mail：qbrkc@mvprbnjc.biz.cn

106。姓名: 鄢福淹

住址（公司）：山西省晋中市榆社县波原路 286 号土甫有限公司（邮政编码：639315）。联系电话：52740034。电子邮箱：edwcm@zsfhwkmn.biz.cn

Zhù zhǐ: Yān Fú Yān Shānxī Shěng Jìn Zhōng Shì Yú Shè Xiàn Bō Yuán Lù 286 Hào Tǔ Fǔ Yǒuxiàn Gōngsī (Yóuzhèng Biānmǎ：639315). Liánxì Diànhuà：52740034. Diànzǐ Yóuxiāng：edwcm@zsfhwkmn.biz.cn

Fu Yan Yan, Tu Fu Corporation, 286 Bo Yuan Road, Yushe County, Jinzhong, Shanxi. Postal Code: 639315. Phone Number：52740034. E-mail：edwcm@zsfhwkmn.biz.cn

107。姓名: 杨晖院

住址（酒店）：山西省晋城市高平市刚圣路 455 号熔黎酒店（邮政编码：791883）。联系电话：75112121。电子邮箱：fsdqx@qcsdtnpi.biz.cn

Zhù zhǐ: Yáng Huī Yuàn Shānxī Shěng Jìnchéng Shì Gāopíng Shì Gāng Shèng Lù 455 Hào Róng Lí Jiǔ Diàn（Yóuzhèng Biānmǎ：791883). Liánxì Diànhuà：75112121. Diànzǐ Yóuxiāng：fsdqx@qcsdtnpi.biz.cn

Hui Yuan Yang, Rong Li Hotel, 455 Gang Sheng Road, Gaoping City, Jincheng, Shanxi. Postal Code: 791883. Phone Number：75112121. E-mail：fsdqx@qcsdtnpi.biz.cn

108。姓名: 常阳亭

住址（广场）：山西省运城市临猗县铁九路 994 号桥亭广场（邮政编码：884650）。联系电话：58023261。电子邮箱：fhvta@ebnlagui.squares.cn

Zhù zhǐ: Cháng Yáng Tíng Shānxī Shěng Yùn Chéng Shì Lín Yī Xiàn Tiě Jiǔ Lù 994 Hào Qiáo Tíng Guǎng Chǎng（Yóuzhèng Biānmǎ：884650). Liánxì Diànhuà：58023261. Diànzǐ Yóuxiāng：fhvta@ebnlagui.squares.cn

Yang Ting Chang, Qiao Ting Square, 994 Tie Jiu Road, Linyi County, Yuncheng, Shanxi. Postal Code: 884650. Phone Number：58023261. E-mail：fhvta@ebnlagui.squares.cn

109。姓名: 岳翰恩

住址（广场）：山西省临汾市汾西县隆友路 965 号兆奎广场（邮政编码：685681）。联系电话：14423600。电子邮箱：oztxr@bcyqlkwu.squares.cn

Zhù zhǐ: Yuè Hàn Ēn Shānxī Shěng Línfén Shì Fén Xī Xiàn Lóng Yǒu Lù 965 Hào Zhào Kuí Guǎng Chǎng（Yóuzhèng Biānmǎ：685681). Liánxì Diànhuà：14423600. Diànzǐ Yóuxiāng：oztxr@bcyqlkwu.squares.cn

Han En Yue, Zhao Kui Square, 965 Long You Road, Fenxi County, Linfen, Shanxi. Postal Code: 685681. Phone Number：14423600. E-mail：oztxr@bcyqlkwu.squares.cn

110。姓名: 昌腾仓

住址（公共汽车站）：山西省吕梁市汾阳市禹翰路 998 号白顺站（邮政编码：967933）。联系电话：45486334。电子邮箱：gzble@civouwga.transport.cn

Zhù zhǐ: Chāng Téng Cāng Shānxī Shěng Lǚliáng Shì Fén Yáng Shì Yǔ Hàn Lù 998 Hào Bái Shùn Zhàn（Yóuzhèng Biānmǎ：967933). Liánxì Diànhuà：45486334. Diànzǐ Yóuxiāng：gzble@civouwga.transport.cn

Teng Cang Chang, Bai Shun Bus Station, 998 Yu Han Road, Fenyang City, Luliang, Shanxi. Postal Code: 967933. Phone Number：45486334. E-mail：gzble@civouwga.transport.cn

111。姓名: 薄郁屹

住址（火车站）：山西省晋城市泽州县王国路 685 号晋城站（邮政编码：862265）。联系电话：68236192。电子邮箱：dmiqf@fhivzomd.chr.cn

Zhù zhǐ: Bó Yù Yì Shānxī Shěng Jìnchéng Shì Zé Zhōu Xiàn Wáng Guó Lù 685 Hào Jncéng Zhàn（Yóuzhèng Biānmǎ：862265). Liánxì Diànhuà：68236192. Diànzǐ Yóuxiāng：dmiqf@fhivzomd.chr.cn

Yu Yi Bo, Jincheng Railway Station, 685 Wang Guo Road, Zezhou County, Jincheng, Shanxi. Postal Code: 862265. Phone Number：68236192. E-mail：dmiqf@fhivzomd.chr.cn

112。姓名: 狄中钦

住址（火车站）：山西省朔州市山阴县坤澜路 490 号朔州站（邮政编码：340986）。联系电话：74199372。电子邮箱：zyvhj@aimbnzdg.chr.cn

Zhù zhǐ: Dí Zhòng Qīn Shānxī Shěng Shuò Zhōu Shì Shān Yīn Xiàn Kūn Lán Lù 490 Hào uò Zōu Zhàn（Yóuzhèng Biānmǎ：340986). Liánxì Diànhuà：74199372. Diànzǐ Yóuxiāng：zyvhj@aimbnzdg.chr.cn

Zhong Qin Di, Shuozhou Railway Station, 490 Kun Lan Road, Sanyin County, Shuozhou, Shanxi. Postal Code: 340986. Phone Number：74199372. E-mail：zyvhj@aimbnzdg.chr.cn

113。姓名: 申屠可郁

住址（公司）：山西省晋城市高平市译先路 259 号澜茂有限公司（邮政编码：223671）。联系电话：74844143。电子邮箱：bangi@nmiswbek.biz.cn

Zhù zhǐ: Shēntú Kě Yù Shānxī Shěng Jìnchéng Shì Gāopíng Shì Yì Xiān Lù 259 Hào Lán Mào Yǒuxiàn Gōngsī（Yóuzhèng Biānmǎ：223671). Liánxì Diànhuà：74844143. Diànzǐ Yóuxiāng：bangi@nmiswbek.biz.cn

Ke Yu Shentu, Lan Mao Corporation, 259 Yi Xian Road, Gaoping City, Jincheng, Shanxi. Postal Code: 223671. Phone Number：74844143. E-mail：bangi@nmiswbek.biz.cn

114。姓名: 郁盛九

住址（湖泊）：山西省朔州市怀仁市克王路 906 号科全湖（邮政编码：854769）。联系电话：58804455。电子邮箱：pxcyl@biwalezp.lakes.cn

Zhù zhǐ: Yù Shèng Jiǔ Shānxī Shěng Shuò Zhōu Shì Huái Rén Shì Kè Wàng Lù 906 Hào Kē Quán Hú（Yóuzhèng Biānmǎ：854769). Liánxì Diànhuà：58804455. Diànzǐ Yóuxiāng：pxcyl@biwalezp.lakes.cn

Sheng Jiu Yu, Ke Quan Lake, 906 Ke Wang Road, Huairen City, Shuozhou, Shanxi. Postal Code: 854769. Phone Number：58804455. E-mail：pxcyl@biwalezp.lakes.cn

115。姓名: 牧泽水

住址（火车站）：山西省忻州市保德县熔振路 617 号忻州站（邮政编码：809250）。联系电话：30383319。电子邮箱：azejy@mfaphvks.chr.cn

Zhù zhǐ: Mù Zé Shuǐ Shānxī Shěng Xīnzhōu Shì Bǎo Dé Xiàn Róng Zhèn Lù 617 Hào Xīnzōu Zhàn（Yóuzhèng Biānmǎ：809250）. Liánxì Diànhuà：30383319. Diànzǐ Yóuxiāng：azejy@mfaphvks.chr.cn

Ze Shui Mu, Xinzhou Railway Station, 617 Rong Zhen Road, Baode County, Xinzhou, Shanxi. Postal Code: 809250. Phone Number：30383319. E-mail：azejy@mfaphvks.chr.cn

116。姓名: 查立兵

住址（火车站）：山西省运城市新绛县顺化路 804 号运城站（邮政编码：811764）。联系电话：97054925。电子邮箱：ghryz@fqkxvacy.chr.cn

Zhù zhǐ: Zhā Lì Bīng Shānxī Shěng Yùn Chéng Shì Xīn Jiàng Xiàn Shùn Huā Lù 804 Hào Yùn Céng Zhàn（Yóuzhèng Biānmǎ：811764）. Liánxì Diànhuà：97054925. Diànzǐ Yóuxiāng：ghryz@fqkxvacy.chr.cn

Li Bing Zha, Yuncheng Railway Station, 804 Shun Hua Road, Xinjiang County, Yuncheng, Shanxi. Postal Code: 811764. Phone Number：97054925. E-mail：ghryz@fqkxvacy.chr.cn

117。姓名: 凤顺斌

住址（公司）：山西省运城市万荣县钢勇路 300 号舟浩有限公司（邮政编码：667740）。联系电话：16343313。电子邮箱：qgxyw@engvdmwk.biz.cn

Zhù zhǐ: Fèng Shùn Bīn Shānxī Shěng Yùn Chéng Shì Wàn Róngxiàn Gāng Yǒng Lù 300 Hào Zhōu Hào Yǒuxiàn Gōngsī（Yóuzhèng Biānmǎ：667740）. Liánxì Diànhuà：16343313. Diànzǐ Yóuxiāng：qgxyw@engvdmwk.biz.cn

Shun Bin Feng, Zhou Hao Corporation, 300 Gang Yong Road, Wanrong County, Yuncheng, Shanxi. Postal Code: 667740. Phone Number：16343313. E-mail：qgxyw@engvdmwk.biz.cn

118。姓名: 南门浩友

住址（公司）：山西省吕梁市交口县队盛路 798 号克葆有限公司（邮政编码：634171）。联系电话：24218623。电子邮箱：qbgkz@bknadutr.biz.cn

Zhù zhǐ: Nánmén Hào Yǒu Shānxī Shěng Lǚliáng Shì Jiāokǒu Xiàn Duì Chéng Lù 798 Hào Kè Bǎo Yǒuxiàn Gōngsī (Yóuzhèng Biānmǎ: 634171). Liánxì Diànhuà: 24218623. Diànzǐ Yóuxiāng: qbgkz@bknadutr.biz.cn

Hao You Nanmen, Ke Bao Corporation, 798 Dui Cheng Road, Jiaokou County, Luliang, Shanxi. Postal Code: 634171. Phone Number: 24218623. E-mail: qbgkz@bknadutr.biz.cn

119。姓名: 王王大

住址（家庭）：山西省运城市盐湖区舟熔路 783 号乐先公寓 31 层 593 室（邮政编码：120376）。联系电话：16886755。电子邮箱：vremi@fpdxgwzv.cn

Zhù zhǐ: Wáng Wàng Dà Shānxī Shěng Yùn Chéng Shì Yánhú Qū Zhōu Róng Lù 783 Hào Lè Xiān Gōng Yù 31 Céng 593 Shì (Yóuzhèng Biānmǎ: 120376). Liánxì Diànhuà: 16886755. Diànzǐ Yóuxiāng: vremi@fpdxgwzv.cn

Wang Da Wang, Room# 593, Floor# 31, Le Xian Apartment, 783 Zhou Rong Road, Salt Lake District, Yuncheng, Shanxi. Postal Code: 120376. Phone Number: 16886755. E-mail: vremi@fpdxgwzv.cn

120。姓名: 隆洵彬

住址（博物院）：山西省长治市潞城区王自路 707 号长治博物馆（邮政编码：247707）。联系电话：11134176。电子邮箱：njdsp@hzwrfoic.museums.cn

Zhù zhǐ: Lóng Xún Bīn Shānxī Shěng Chángzhì Shì Lù Chéngqū Wáng Zì Lù 707 Hào Cángz Bó Wù Guǎn (Yóuzhèng Biānmǎ: 247707). Liánxì Diànhuà: 11134176. Diànzǐ Yóuxiāng: njdsp@hzwrfoic.museums.cn

Xun Bin Long, Changzhi Museum, 707 Wang Zi Road, Lucheng District, Changzhi, Shanxi. Postal Code: 247707. Phone Number：11134176. E-mail：njdsp@hzwrfoic.museums.cn

CHAPTER 5: NAME, SURNAME & ADDRESSES (121-150)

121。姓名: 阙乙人

住址（公司）：山西省运城市平陆县翰翰路 464 号嘉兆有限公司（邮政编码：517365）。联系电话：47561283。电子邮箱：zoket@pdonrtim.biz.cn

Zhù zhǐ: Quē Yǐ Rén Shānxī Shěng Yùn Chéng Shì Píng Lù Xiàn Hàn Hàn Lù 464 Hào Jiā Zhào Yǒuxiàn Gōngsī (Yóuzhèng Biānmǎ：517365). Liánxì Diànhuà：47561283. Diànzǐ Yóuxiāng：zoket@pdonrtim.biz.cn

Yi Ren Que, Jia Zhao Corporation, 464 Han Han Road, Pinglu County, Yuncheng, Shanxi. Postal Code: 517365. Phone Number：47561283. E-mail: zoket@pdonrtim.biz.cn

122。姓名: 王陆员

住址（大学）：山西省吕梁市方山县发易大学成珂路 710 号（邮政编码：497703）。联系电话：14127023。电子邮箱：exfzt@zhbiwolv.edu.cn

Zhù zhǐ: Wáng Lù Yún Shānxī Shěng Lǚliáng Shì Fāng Shān Xiàn Fā Yì DàxuéChéng Kē Lù 710 Hào (Yóuzhèng Biānmǎ：497703). Liánxì Diànhuà：14127023. Diànzǐ Yóuxiāng：exfzt@zhbiwolv.edu.cn

Lu Yun Wang, Fa Yi University, 710 Cheng Ke Road, Fangshan County, Luliang, Shanxi. Postal Code: 497703. Phone Number：14127023. E-mail: exfzt@zhbiwolv.edu.cn

123。姓名: 墨成智

住址（医院）：山西省朔州市山阴县禹冕路 757 号阳铁医院（邮政编码：190741）。联系电话：79183325。电子邮箱：uizml@kwfdbgqs.health.cn

Zhù zhǐ: Mò Chéng Zhì Shānxī Shěng Shuò Zhōu Shì Shān Yīn Xiàn Yǔ Miǎn Lù 757 Hào Yáng Fū Yī Yuàn (Yóuzhèng Biānmǎ：190741). Liánxì Diànhuà：79183325. Diànzǐ Yóuxiāng：uizml@kwfdbgqs.health.cn

Cheng Zhi Mo, Yang Fu Hospital, 757 Yu Mian Road, Sanyin County, Shuozhou, Shanxi. Postal Code: 190741. Phone Number：79183325. E-mail：uizml@kwfdbgqs.health.cn

124。姓名: 莫辙白

住址（湖泊）：山西省运城市永济市德奎路 859 号强寰湖（邮政编码：339466）。联系电话：90723971。电子邮箱：qgfeo@huktwmbz.lakes.cn

Zhù zhǐ: Mò Zhé Zì Shānxī Shěng Yùn Chéng Shì Yǒng Jì Shì Dé Kuí Lù 859 Hào Qiáng Huán Hú (Yóuzhèng Biānmǎ：339466). Liánxì Diànhuà：90723971. Diànzǐ Yóuxiāng：qgfeo@huktwmbz.lakes.cn

Zhe Zi Mo, Qiang Huan Lake, 859 De Kui Road, Yongji City, Yuncheng, Shanxi. Postal Code: 339466. Phone Number：90723971. E-mail：qgfeo@huktwmbz.lakes.cn

125。姓名: 胡咚愈

住址（广场）：山西省大同市左云县毅中路 624 号不茂广场（邮政编码：329895）。联系电话：40779632。电子邮箱：jeszu@tozseqad.squares.cn

Zhù zhǐ: Hú Dōng Yù Shānxī Shěng Dàtóng Shì Zuǒ Yún Xiàn Yì Zhōng Lù 624 Hào Bù Mào Guǎng Chǎng (Yóuzhèng Biānmǎ：329895). Liánxì Diànhuà：40779632. Diànzǐ Yóuxiāng：jeszu@tozseqad.squares.cn

Dong Yu Hu, Bu Mao Square, 624 Yi Zhong Road, Zuoyun County, Datong, Shanxi. Postal Code: 329895. Phone Number：40779632. E-mail：jeszu@tozseqad.squares.cn

126。姓名: 广食大

住址（广场）：山西省吕梁市临县九白路 268 号洵黎广场（邮政编码：166125）。联系电话：83620444。电子邮箱：hntxo@cyhnfrvp.squares.cn

Zhù zhǐ: Guǎng Yì Dà Shānxī Shěng Lǚliáng Shì Lín Xiàn Jiǔ Bái Lù 268 Hào Xún Lí Guǎng Chǎng （Yóuzhèng Biānmǎ：166125）. Liánxì Diànhuà：83620444. Diànzǐ Yóuxiāng：hntxo@cyhnfrvp.squares.cn

Yi Da Guang, Xun Li Square, 268 Jiu Bai Road, Lin County, Luliang, Shanxi. Postal Code: 166125. Phone Number：83620444. E-mail：hntxo@cyhnfrvp.squares.cn

127。姓名: 符臻水

住址（家庭）：山西省晋中市左权县中磊路 786 号世可公寓 31 层 997 室 （邮政编码：364100）。联系电话：92370861。电子邮箱：tesoh@urpqezgb.cn

Zhù zhǐ: Fú Zhēn Shuǐ Shānxī Shěng Jìn Zhōng Shì Zuǒquán Xiàn Zhōng Lěi Lù 786 Hào Shì Kě Gōng Yù 31 Céng 997 Shì (Yóuzhèng Biānmǎ：364100). Liánxì Diànhuà：92370861. Diànzǐ Yóuxiāng：tesoh@urpqezgb.cn

Zhen Shui Fu, Room# 997, Floor# 31, Shi Ke Apartment, 786 Zhong Lei Road, Zuoquan County, Jinzhong, Shanxi. Postal Code: 364100. Phone Number：92370861. E-mail：tesoh@urpqezgb.cn

128。姓名: 公惟食

住址（机场）：山西省长治市黎城县智奎路 955 号长治强员国际机场（邮政编码：926540）。联系电话：41249962。电子邮箱：jmvsf@ylpgzrxq.airports.cn

Zhù zhǐ: Gōng Wéi Sì Shānxī Shěng Chángzhì Shì Lí Chéng Xiàn Zhì Kuí Lù 955 Hào Cángz Qiǎng Yún Guó Jì Jī Chǎng （Yóuzhèng Biānmǎ：926540). Liánxì Diànhuà：41249962. Diànzǐ Yóuxiāng：jmvsf@ylpgzrxq.airports.cn

Wei Si Gong, Changzhi Qiang Yun International Airport, 955 Zhi Kui Road, Licheng County, Changzhi, Shanxi. Postal Code: 926540. Phone Number：41249962. E-mail：jmvsf@ylpgzrxq.airports.cn

129。姓名: 查沛涛

住址（医院）：山西省阳泉市盂县石红路 684 号洵员医院（邮政编码：531444）。联系电话：14696684。电子邮箱：sgfhw@wbagmqon.health.cn

Zhù zhǐ: Zhā Bèi Tāo Shānxī Shěng Yángquán Shì Yú Xiàn Dàn Hóng Lù 684 Hào Xún Yuán Yī Yuàn（Yóuzhèng Biānmǎ：531444). Liánxì Diànhuà：14696684. Diànzǐ Yóuxiāng：sgfhw@wbagmqon.health.cn

Bei Tao Zha, Xun Yuan Hospital, 684 Dan Hong Road, Yu County, Yangquan, Shanxi. Postal Code: 531444. Phone Number：14696684. E-mail：sgfhw@wbagmqon.health.cn

130。姓名: 路先胜

住址（酒店）：山西省临汾市古县锡克路 854 号译泽酒店（邮政编码：195539）。联系电话：27073240。电子邮箱：mgjwh@lormvzeg.biz.cn

Zhù zhǐ: Lù Xiān Shēng Shānxī Shěng Línfén Shì Gǔ Xiàn Xī Kè Lù 854 Hào Yì Zé Jiǔ Diàn（Yóuzhèng Biānmǎ：195539). Liánxì Diànhuà：27073240. Diànzǐ Yóuxiāng：mgjwh@lormvzeg.biz.cn

Xian Sheng Lu, Yi Ze Hotel, 854 Xi Ke Road, Guxian, Linfen, Shanxi. Postal Code: 195539. Phone Number：27073240. E-mail：mgjwh@lormvzeg.biz.cn

131。姓名: 诸易征

住址（湖泊）：山西省临汾市襄汾县谢奎路 523 号译智湖（邮政编码：734955）。联系电话：56845606。电子邮箱：hilyq@uqflmncz.lakes.cn

Zhù zhǐ: Zhū Yì Zhēng Shānxī Shěng Línfén Shì Xiāng Fén Xiàn Xiè Kuí Lù 523 Hào Yì Zhì Hú（Yóuzhèng Biānmǎ：734955). Liánxì Diànhuà：56845606. Diànzǐ Yóuxiāng：hilyq@uqflmncz.lakes.cn

Yi Zheng Zhu, Yi Zhi Lake, 523 Xie Kui Road, Xiangfen County, Linfen, Shanxi. Postal Code: 734955. Phone Number：56845606. E-mail：hilyq@uqflmncz.lakes.cn

132。姓名: 姓庆立

住址（大学）：山西省运城市芮城县居胜大学山宽路 423 号（邮政编码：314452）。联系电话：67769122。电子邮箱：ghswf@njeytorz.edu.cn

Zhù zhǐ: Xìng Qìng Lì Shānxī Shěng Yùn Chéng Shì Ruì Chéng Xiàn Jū Shēng DàxuéShān Kuān Lù 423 Hào (Yóuzhèng Biānmǎ: 314452). Liánxì Diànhuà: 67769122. Diànzǐ Yóuxiāng: ghswf@njeytorz.edu.cn

Qing Li Xing, Ju Sheng University, 423 Shan Kuan Road, Ruicheng County, Yuncheng, Shanxi. Postal Code: 314452. Phone Number: 67769122. E-mail: ghswf@njeytorz.edu.cn

133。姓名: 钟征禹

住址（家庭）：山西省太原市晋源区淹化路 203 号焯领公寓 22 层 107 室（邮政编码：368724）。联系电话：19548954。电子邮箱：qzivu@rsjhgoed.cn

Zhù zhǐ: Zhōng Zhēng Yǔ Shānxī Shěng Tàiyuán Shì Jìn Yuán Qū Yān Huà Lù 203 Hào Chāo Lǐng Gōng Yù 22 Céng 107 Shì (Yóuzhèng Biānmǎ: 368724). Liánxì Diànhuà: 19548954. Diànzǐ Yóuxiāng: qzivu@rsjhgoed.cn

Zheng Yu Zhong, Room# 107, Floor# 22, Chao Ling Apartment, 203 Yan Hua Road, Jinyuan District, Taiyuan, Shanxi. Postal Code: 368724. Phone Number: 19548954. E-mail: qzivu@rsjhgoed.cn

134。姓名: 仇院陆

住址（广场）：山西省运城市闻喜县焯恩路 645 号圣龙广场（邮政编码：375656）。联系电话：24641547。电子邮箱：olfte@pbihecwo.squares.cn

Zhù zhǐ: Qiú Yuàn Lù Shānxī Shěng Yùn Chéng Shì Wén Xǐ Xiàn Chāo Ēn Lù 645 Hào Shèng Lóng Guǎng Chǎng (Yóuzhèng Biānmǎ: 375656). Liánxì Diànhuà: 24641547. Diànzǐ Yóuxiāng: olfte@pbihecwo.squares.cn

Yuan Lu Qiu, Sheng Long Square, 645 Chao En Road, Wenxi County, Yuncheng, Shanxi. Postal Code: 375656. Phone Number：24641547. E-mail：olfte@pbihecwo.squares.cn

135。姓名: 羊舌译自

住址（公司）：山西省大同市平城区先居路 780 号中友有限公司（邮政编码：303735）。联系电话：38338519。电子邮箱：ilrfp@bcfatgkx.biz.cn

Zhù zhǐ: Yángshé Yì Zì Shānxī Shěng Dàtóng Shì Píng Chéng Qū Xiān Jū Lù 780 Hào Zhōng Yǒu Yǒuxiàn Gōngsī（Yóuzhèng Biānmǎ：303735). Liánxì Diànhuà：38338519. Diànzǐ Yóuxiāng：ilrfp@bcfatgkx.biz.cn

Yi Zi Yangshe, Zhong You Corporation, 780 Xian Ju Road, Pingcheng District, Datong, Shanxi. Postal Code: 303735. Phone Number：38338519. E-mail：ilrfp@bcfatgkx.biz.cn

136。姓名: 生俊伦

住址（公园）：山西省阳泉市郊区铁臻路 942 号智兆公园（邮政编码：959552）。联系电话：29361556。电子邮箱：dspax@cyudhfqn.parks.cn

Zhù zhǐ: Shēng Jùn Lún Shānxī Shěng Yángquán Shì Jiāoqū Fū Zhēn Lù 942 Hào Zhì Zhào Gōng Yuán（Yóuzhèng Biānmǎ：959552). Liánxì Diànhuà：29361556. Diànzǐ Yóuxiāng：dspax@cyudhfqn.parks.cn

Jun Lun Sheng, Zhi Zhao Park, 942 Fu Zhen Road, Jiao District, Yangquan, Shanxi. Postal Code: 959552. Phone Number：29361556. E-mail：dspax@cyudhfqn.parks.cn

137。姓名: 丁绅中

住址（火车站）：山西省太原市迎泽区敬铁路 440 号太原站（邮政编码：757478）。联系电话：15950031。电子邮箱：rmpeh@wjaplhvt.chr.cn

Zhù zhǐ: Dīng Shēn Zhōng Shānxī Shěng Tàiyuán Shì Yíng Zé Qū Jìng Tiě Lù 440 Hào Tàiyuán Zhàn（Yóuzhèng Biānmǎ：757478）. Liánxì Diànhuà：15950031. Diànzǐ Yóuxiāng：rmpeh@wjaplhvt.chr.cn

Shen Zhong Ding, Taiyuan Railway Station, 440 Jing Tie Road, Yingze District, Taiyuan, Shanxi. Postal Code: 757478. Phone Number：15950031. E-mail：rmpeh@wjaplhvt.chr.cn

138。姓名: 满金源

住址（家庭）：山西省吕梁市交城县胜国路 294 号锤守公寓 8 层 314 室（邮政编码：452141）。联系电话：42754927。电子邮箱：tobfj@vtkmrfez.cn

Zhù zhǐ: Mǎn Jīn Yuán Shānxī Shěng Lǚliáng Shì Jiāo Chéng Xiàn Shēng Guó Lù 294 Hào Chuí Shǒu Gōng Yù 8 Céng 314 Shì（Yóuzhèng Biānmǎ：452141）. Liánxì Diànhuà：42754927. Diànzǐ Yóuxiāng：tobfj@vtkmrfez.cn

Jin Yuan Man, Room# 314, Floor# 8, Chui Shou Apartment, 294 Sheng Guo Road, Jiaocheng County, Luliang, Shanxi. Postal Code: 452141. Phone Number：42754927. E-mail：tobfj@vtkmrfez.cn

139。姓名: 韦寰铭

住址（火车站）：山西省长治市潞城区食发路 457 号长治站（邮政编码：803352）。联系电话：59141071。电子邮箱：czfwg@frpqkoja.chr.cn

Zhù zhǐ: Wéi Huán Míng Shānxī Shěng Chángzhì Shì Lù Chéngqū Shí Fā Lù 457 Hào Cángz Zhàn（Yóuzhèng Biānmǎ：803352）. Liánxì Diànhuà：59141071. Diànzǐ Yóuxiāng：czfwg@frpqkoja.chr.cn

Huan Ming Wei, Changzhi Railway Station, 457 Shi Fa Road, Lucheng District, Changzhi, Shanxi. Postal Code: 803352. Phone Number：59141071. E-mail：czfwg@frpqkoja.chr.cn

140。姓名: 盛盛铭

住址（公园）：山西省忻州市岢岚县锤游路 986 号可独公园（邮政编码：671414）。联系电话：20248657。电子邮箱：lyfuz@fwavehjk.parks.cn

Zhù zhǐ: Shèng Shèng Míng Shānxī Shěng Xīnzhōu Shì Kě Lán Xiàn Chuí Yóu Lù 986 Hào Kě Dú Gōng Yuán（Yóuzhèng Biānmǎ：671414). Liánxì Diànhuà：20248657. Diànzǐ Yóuxiāng：lyfuz@fwavehjk.parks.cn

Sheng Ming Sheng, Ke Du Park, 986 Chui You Road, Kelan County, Xinzhou, Shanxi. Postal Code: 671414. Phone Number：20248657. E-mail：lyfuz@fwavehjk.parks.cn

141。姓名:陈居伦

住址（湖泊）：山西省忻州市原平市近化路 267 号院隆湖（邮政编码：286845）。联系电话：45028938。电子邮箱：clpkg@iuepcxlv.lakes.cn

Zhù zhǐ: Chén Jū Lún Shānxī Shěng Xīnzhōu Shì Yuánpíng Shì Jìn Huà Lù 267 Hào Yuàn Lóng Hú（Yóuzhèng Biānmǎ：286845). Liánxì Diànhuà：45028938. Diànzǐ Yóuxiāng：clpkg@iuepcxlv.lakes.cn

Ju Lun Chen, Yuan Long Lake, 267 Jin Hua Road, Yuanping City, Xinzhou, Shanxi. Postal Code: 286845. Phone Number：45028938. E-mail：clpkg@iuepcxlv.lakes.cn

142。姓名:匡隆焯

住址（广场）：山西省忻州市定襄县石中路 325 号沛嘉广场（邮政编码：776569）。联系电话：52863576。电子邮箱：umwjk@ovtfpglx.squares.cn

Zhù zhǐ: Kuāng Lóng Zhuō Shānxī Shěng Xīnzhōu Shì Dìng Xiāng Xiàn Shí Zhòng Lù 325 Hào Pèi Jiā Guǎng Chǎng（Yóuzhèng Biānmǎ：776569). Liánxì Diànhuà：52863576. Diànzǐ Yóuxiāng：umwjk@ovtfpglx.squares.cn

Long Zhuo Kuang, Pei Jia Square, 325 Shi Zhong Road, Dingxiang County, Xinzhou, Shanxi. Postal Code: 776569. Phone Number：52863576. E-mail：umwjk@ovtfpglx.squares.cn

143。姓名: 石强己

住址（公司）：山西省临汾市古县嘉冠路 949 号楚洵有限公司（邮政编码：634653）。联系电话：65273727。电子邮箱：qcyxv@hcfnpixv.biz.cn

Zhù zhǐ: Shí Qiáng Jǐ Shānxī Shěng Línfén Shì Gǔ Xiàn Jiā Guàn Lù 949 Hào Chǔ Xún Yǒuxiàn Gōngsī（Yóuzhèng Biānmǎ：634653). Liánxì Diànhuà：65273727. Diànzǐ Yóuxiāng：qcyxv@hcfnpixv.biz.cn

Qiang Ji Shi, Chu Xun Corporation, 949 Jia Guan Road, Guxian, Linfen, Shanxi. Postal Code: 634653. Phone Number：65273727. E-mail：qcyxv@hcfnpixv.biz.cn

144。姓名: 穆尚维

住址（公园）：山西省临汾市浮山县秀化路 364 号稼寰公园（邮政编码：834743）。联系电话：41343332。电子邮箱：rpcvu@skdcvglj.parks.cn

Zhù zhǐ: Mù Shàng Wéi Shānxī Shěng Línfén Shì Fúshān Xiàn Xiù Huā Lù 364 Hào Jià Huán Gōng Yuán（Yóuzhèng Biānmǎ：834743). Liánxì Diànhuà：41343332. Diànzǐ Yóuxiāng：rpcvu@skdcvglj.parks.cn

Shang Wei Mu, Jia Huan Park, 364 Xiu Hua Road, Fushan County, Linfen, Shanxi. Postal Code: 834743. Phone Number：41343332. E-mail：rpcvu@skdcvglj.parks.cn

145。姓名: 匡铭葛

住址（广场）：山西省忻州市岢岚县世熔路 762 号启陶广场（邮政编码：540882）。联系电话：24397265。电子邮箱：efmyh@rlzdisqm.squares.cn

Zhù zhǐ: Kuāng Míng Gé Shānxī Shěng Xīnzhōu Shì Kě Lán Xiàn Shì Róng Lù 762 Hào Qǐ Táo Guǎng Chǎng（Yóuzhèng Biānmǎ：540882). Liánxì Diànhuà：24397265. Diànzǐ Yóuxiāng：efmyh@rlzdisqm.squares.cn

Ming Ge Kuang, Qi Tao Square, 762 Shi Rong Road, Kelan County, Xinzhou, Shanxi. Postal Code: 540882. Phone Number：24397265. E-mail：efmyh@rlzdisqm.squares.cn

146。姓名: 贲中辙

住址（医院）：山西省朔州市朔城区斌食路 563 号乐铁医院（邮政编码：882554）。联系电话：65924284。电子邮箱：xhuse@pcwytbmi.health.cn

Zhù zhǐ: Bēn Zhòng Zhé Shānxī Shěng Shuò Zhōu Shì Shuò Chéngqū Bīn Yì Lù 563 Hào Lè Fū Yī Yuàn（Yóuzhèng Biānmǎ：882554). Liánxì Diànhuà：65924284. Diànzǐ Yóuxiāng：xhuse@pcwytbmi.health.cn

Zhong Zhe Ben, Le Fu Hospital, 563 Bin Yi Road, Shuocheng District, Shuozhou, Shanxi. Postal Code: 882554. Phone Number：65924284. E-mail：xhuse@pcwytbmi.health.cn

147。姓名: 彭敬仲

住址（机场）：山西省临汾市蒲县尚葆路 442 号临汾乐学国际机场（邮政编码：148754）。联系电话：97954243。电子邮箱：jocmt@winesdxu.airports.cn

Zhù zhǐ: Péng Jìng Zhòng Shānxī Shěng Línfén Shì Pú Xiàn Shàng Bǎo Lù 442 Hào Línfén Lè Xué Guó Jì Jī Chǎng（Yóuzhèng Biānmǎ：148754). Liánxì Diànhuà：97954243. Diànzǐ Yóuxiāng：jocmt@winesdxu.airports.cn

Jing Zhong Peng, Linfen Le Xue International Airport, 442 Shang Bao Road, Pu County, Linfen, Shanxi. Postal Code: 148754. Phone Number：97954243. E-mail：jocmt@winesdxu.airports.cn

148。姓名: 爱光屹

住址（大学）：山西省临汾市大宁县嘉超大学惟秀路 348 号（邮政编码：874405）。联系电话：96126165。电子邮箱：ncuys@dpcjlzmo.edu.cn

Zhù zhǐ: Ài Guāng Yì Shānxī Shěng Línfén Shì Dà Níngxiàn Jiā Chāo DàxuéWéi Xiù Lù 348 Hào (Yóuzhèng Biānmǎ：874405). Liánxì Diànhuà：96126165. Diànzǐ Yóuxiāng：ncuys@dpcjlzmo.edu.cn

Guang Yi Ai, Jia Chao University, 348 Wei Xiu Road, Daning County, Linfen, Shanxi. Postal Code: 874405. Phone Number：96126165. E-mail：ncuys@dpcjlzmo.edu.cn

149。姓名:扈先友

住址（湖泊）：山西省长治市长子县歧臻路 692 号柱桥湖（邮政编码：752992）。联系电话：12357366。电子邮箱：ofwpe@adqfbcmk.lakes.cn

Zhù zhǐ: Hù Xiān Yǒu Shānxī Shěng Chángzhì Shì Zhǎngzǐ Xiàn Qí Zhēn Lù 692 Hào Zhù Qiáo Hú (Yóuzhèng Biānmǎ：752992). Liánxì Diànhuà：12357366. Diànzǐ Yóuxiāng：ofwpe@adqfbcmk.lakes.cn

Xian You Hu, Zhu Qiao Lake, 692 Qi Zhen Road, Eldest Son County, Changzhi, Shanxi. Postal Code: 752992. Phone Number：12357366. E-mail：ofwpe@adqfbcmk.lakes.cn

150。姓名:亓官九奎

住址（公园）：山西省晋城市阳城县铭人路 941 号祥焯公园（邮政编码：649221）。联系电话：30300878。电子邮箱：yiznc@waknvgjm.parks.cn

Zhù zhǐ: Qíguān Jiǔ Kuí Shānxī Shěng Jìnchéng Shì Yáng Chéng Xiàn Míng Rén Lù 941 Hào Xiáng Zhuō Gōng Yuán (Yóuzhèng Biānmǎ：649221). Liánxì Diànhuà：30300878. Diànzǐ Yóuxiāng：yiznc@waknvgjm.parks.cn

Jiu Kui Qiguan, Xiang Zhuo Park, 941 Ming Ren Road, Yangcheng County, Jincheng, Shanxi. Postal Code: 649221. Phone Number：30300878. E-mail：yiznc@waknvgjm.parks.cn

Milton Keynes UK
Ingram Content Group UK Ltd.
UKHW050916260224
438492UK00013B/621